"나는 화재조사관이다."

화재조사관의 낙서장(Ⅱ)

나는 대한민국 소방공무원이다.

<제목 차례>

진정한 나! ······ 8
신바람 ······ 9
리더 ······ 10
역지사지(易地思之) ······ 11
바름 ······ 12
바람 ······ 13
구름아! ······ 14
긍정의 힘 ······ 15
너그러운 겨울 ······ 16
겨울 바람 ······ 17
희망이어라 ······ 18
햇살의 미소 ······ 19
한 걸음 전진! ······ 20
약속 ······ 21
언행일치 ······ 22
아버지 ······ 23
가을 ······ 25
현인이어라 ······ 26
춤주는 행복 ······ 27
가을의 동경 ······ 28
가을의 흐름 ······ 29
사람의 향기 ······ 30
행복의 미소 ······ 31
아름다운 세상 ······ 32
시간이란 ······ 33
세월의 흐름 ······ 34
신뢰와 지혜 ······ 35

청명의 아름다움 ········ 36
등불 ········ 37
시간 ········ 38
느긋한 낭만 ········ 39
교육 ········ 40
반기는 광고 불빛 ········ 41
사랑과 행복 ········ 42
나의 모습 ········ 43
순리 ········ 44
공허한 마음 ········ 45
공평한 하루 ········ 46
하늘 ········ 47
굳은 의지 ········ 48
소나기 ········ 49
잡담 속 진언 ········ 50
마음 ········ 51
스며드는 행복 ········ 52
넉넉한 마음 ········ 53
굳은 마음 ········ 54
가을의 구름 ········ 55
덕(德)과 악(惡) ········ 56
학습 ········ 57
욕심 ········ 58
삶이란? ········ 59
아침 희망 ········ 60
보이지 않는 약속 ········ 61
익어가는 행복 ········ 63
정도의 철학 ········ 64

배려하는 마음 ······ 66
행복이 가득 ······ 67
아름다운 칭찬 ······ 68
버스 ······ 69
사람이란...? ······ 70
단비 ······ 72
맑게 웃는 햇살 ······ 73
사철나무 ······ 74
출동이다 ······ 75
무궁화 ······ 76
진실은 아름답다 ······ 78
여름의 서정 ······ 80
존중은 신뢰다 ······ 81
객관적 순리 ······ 83
어머님 사랑합니다 ······ 85
정겨운 여름 ······ 88
소소한 행복 ······ 89
글의 색 ······ 90
소주 한잔의 우정 ······ 91
시련의 행복 ······ 92
소리 없이 가는 너! ······ 93
미소를 주며 ······ 94
열리는 희망 ······ 95
온정 ······ 96
의지! ······ 97
진실이란? ······ 98
안 되는 일 없다 ······ 99
성공하는 인생! ······ 101

진실은 진실이다 ········ 102
正道? ········ 104
동전 ········ 105
최선의 방법 ········ 106
초심 ········ 107
순수함 ········ 108
취중천국 ········ 109
겸손이란? ········ 110
새벽이슬 ········ 111
이런들 어떠하리 ········ 112
넓은 도량 ········ 113
청정한 사랑 ········ 114
아침의 여유 ········ 115
하늘 ········ 116
안전이란? ········ 117
나는 나를 ········ 118
샘솟는 희망 ········ 119
숙제 ········ 120
목표 ········ 121
봄의 향기 ········ 122
진보와 보수 ········ 123
잠깐의 낙서 ········ 125
여유 ········ 126
독백 ········ 127
봄의 여유 ········ 128
화재조사관은? ········ 129
대중교통의 여유 ········ 131
버스의 운치 ········ 132

포근함 ······ 133
신중 ······ 134
옳고 그름 ······ 135
순수함이 아름답다 ······ 136
풍기는 향기 ······ 137
소박한 향기 ······ 138
화재조사관의 고뇌 ······ 139
작은 소망 ······ 141
즐거움이란... ······ 142
하늘의 별이 된 그대여... ······ 143
진실은... ······ 144
이슬 ······ 145
소진과 진언 ······ 146
평등 ······ 147
기다림 ······ 148
소리 없는 말 ······ 149
존중과 존경 그리고 칭찬 ······ 150
안개와 구름 ······ 151
우뚝 선 나무 ······ 152
서두르지 마라 ······ 154
취중천국 ······ 155
동행 ······ 156
정보 검색 ······ 158
가을의 度量 ······ 159
평범하게... ······ 160
꽃기린 ······ 161
잡초 ······ 162
잠시 반짝 기억하라 ······ 163

현인(賢人) ···································· 164
그대의 향기 ···································· 165
바르게 살자 ···································· 166
눈을 감으니 세상이 아름답다 ···································· 167
아름다운 진리 ···································· 169
현자처럼 현인처럼 ···································· 170
평범한 사실 ···································· 171
자연이란.... ···································· 172
등대 ···································· 173
떠나는 별이되어... ···································· 174
시간 속 ···································· 175
보디가드가 필요한 이유 ···································· 176
지하철 이용 중 ···································· 177
그대들은... ···································· 178
웃음의 씨앗! ···································· 180
그대와 나 ···································· 181
현인으로서 나 ···································· 182

진정한 나!

한들한들 불어오는 바람도
따스하게 비춰주는 햇살도
느긋하게 정오의 여유를 즐기나 보다

유유자적 흘러가는 저 구름도
날개를 활짝 펴고 창공을 나는 기러기도
목표를 향해 쉼 없이 전진하나 보다

저 높은 하늘 바람을 가르며 나는 비행기도
맑은 강 물살을 가르며 여행하는 여객선도
희망을 가득 실어 행복을 향해 전진하나 보다

아침을 깨워 태양을 맞는 새벽도
밤하늘을 멋들어지게 수놓던 은하수도
우주 만물 순리에 순응하며 걸음을 재촉하나 보다

힘든 시련과 가슴을 후비는 아픔도
세차게 몰아치는 시기와 비난도
긍정 앞에선 환하게 다가오는 미소인가 보다

성공할 수 있는 계획을 설계하고,
멈추지 않는 열정으로 노력하며,
부정하지 않는 긍정으로 생각하고,
모두가 인정하는 초심으로 행동하며,
신념과 의지로 자존감을 지키는 내가 되고 싶다

신바람

새벽 칼바람이 나를 반긴다
밤새워 기다렸노라고 속삭인다

강한 추위를 이기며 따듯한 미소를 기다렸다고.....
희망의 온기를 느끼며 아침을 열어 하루를 행복하게.....

이리 부딪히고 저리 부딪혀 멍이 자리하여도
내색하지 않고 슬며시 사랑 가득 나누며 미소 짓는다

세월은 그렇게 살며시 살며시 흘러가고
바람은 부드럽게 볼에 스치며 온정을 나눠준다

동쪽 바다에서 부는 바람은 따스한 바람
서쪽 갯벌에서 부는 바람은 차가운 바람

바람은 늘 양면성 있지만,
따스한 동풍이 온유하며 좋을 때도 있고
차가운 서풍이 시원스레 유쾌할 때도 있다

그것이 풍류를 즐기며 세상 이치를 읽는 선비가 아니겠는가?
그렇게 세월에 편승하여 도(道)를 지키며 현인으로 신바람 나게 살아보세

리더

리더란 바르고 정당해야 한다
리더는 많이 배운 사람이 하면 안 된다

많이 배운 사람은 득실을 계산하기 때문이다

리더는 도리를 알고 타인을 헤아릴 수 있는
도량이 넓은 사람이 해야 만백성이 평화롭다

리더는 된 사람의 성품과 든 사람의 정신으로 해야 하고,
든 사람, 난 사람의 정신으로만 지도자가 되려 하면 보이지 않는 것이 있다

리더는 1등과 꼴등을 모두 아우르고 헤아릴 수 있는 품행이 있어야 한다
리더가 외길로 많이 배우면 하나만을 고집하는 보수가 될 수 있다

리더는 평정심을 잃지 말아야 하고 상대를 이해하며 아픔과 기쁨을 함께 아울러야 한다

진심이 통하는 진정한 위민, 위국이 되어야 비로소 황무지의 흥망성쇠가 갈린다

역지사지(易地思之)

역지사지 말은 쉽게 하지만
실천이 쉽지 않은 단어이다

남의 입장에서 고통을 헤아린다?
아픔은 당한 이가 아니면 알 수 없다

상대 입장에서 조목조목 생각하면.....
정도(正道)나 척도(尺度)는 헤아릴 수 있다

우린 쉽게 역지사지라 한다
현인과 같은 말이 될 수도 있다

진정 역지사지라면 시기와 다툼은 없다

상대 입장에서 나를 헤아리고,
내 입장에서 상대를 헤아리면.....

우린 메아리 없는 공허한 전쟁터에서 싸우고 있다
너그럽게 헤아리고 이해하며 다독이면 미소가 가득한 것을.....

바름

아프지 않고 포근하게
사뿐히 지르밟고 가시옵소서

그릇된 지름길을 걷지 않게
바름으로 곧게 걷게 하소서

비바람에 휘둘려도 꿋꿋하게
정도를 거스르지 않게 하소서

세상의 시련이 강하게 들이닥쳐도
비굴하지 않게 굳은 심지를 갖게 하소서

비난과 시기가 힘들게 하여도
타협하지 않게 진정한 믿음을 주소서

권력과 부가 강함을 들이대도
선비의 기질로 정도를 걷게 하소서

중심을 잃지 않게 현명함을 주시고
항상 당당함과 바로 보는 혜안을 갖게 하소서

바람

바람은 보이지 않지만 느낄 수 있으며
소리 없이 다가와 곁에 있음을 알린다

바람은 어디든지 자유로이 여행하며
세상 모든 것과 어우러져 포옹하고 교감한다

바람은 높고 낮은 지위를 가리지 않으며
그저 평온하고 공평하며 시기하지 않는다

바람은 긍정과 불만의 세계를 넘나들며
긍정은 더 크게 하고 불만은 긍정으로 승화시킨다

바람은 시련과 질책에도 굴하지 않고 당당하며
불의와 타협이란 그물에 걸리지 않는 청명함이다

바람은 도리를 거스르면 강한 흑 바람을 선물하며
먹구름에 빗줄기를 몰고 와 그릇됨을 바로잡는다

바람은 시시각각 다르게 다가오지만 변함없으며
가식 없이 순수함 그대로 모든 이에게 안식을 준다

일요일 아침 문득.... 靑松

구름아!

높고 높은 곳에서 삼삼오오 모여 속삭이며
여유롭게 넉넉한 여정을 즐기는구려

있는 듯 없는 듯 자리를 지키고 있으며
보는 이 마음을 평화롭게 하는구려

천공을 자리 삶아 우주를 이불 삶아
청명을 덥고 하룻밤 자고 가는 구름아

천공에 멋들어지게 수채화를 그리며
대지를 수놓는 화려함으로 뽐내는구려

소리 없이 머물고 영롱한 이슬을 내리며
행복한 반짝임으로 자취를 남기는구려

자고 가는 구름아! 화려한 꿈을 꾸며
사랑을 가득 품은 분홍색 꽃을 선물하는구려

긍정의 힘

세월이란 밭에 사랑을 심으세요
모두가 행복하고 미소 가득합니다

생활이란 밭에 긍정을 심으세요
모두가 반기고 희망이 가득합니다

좌절이란 밭에 용기를 심으세요
성공이란 꽃과 열매가 가득합니다

실패란 밭에 멈추지 않는 노력을 심으세요
목표 달성이라는 가슴 벅찬 성과가 가득합니다

가난이란 밭에 넉넉한 마음을 심으세요
세상에서 가장 큰 행복이 자라나고 부유합니다

당신이란 얼굴에 미소를 심으세요
모두가 그대를 반기고 웃음 가득합니다

불신이란 밭에 믿음을 심으세요
모두의 얼굴에 희망과 행복이 가득합니다

긍정의 힘보다 나를 강하게 하는 것은 없다

너그러운 겨울

겨울바람은 어디서 왔는가
멀리서 가까이 다가와 속삭이듯 동행한다

옷깃을 여미고 호호 불어 달래보아도
심술궂은 표정은 변함이 없구려

한바탕 힘겨루기를 하지만 지칠 줄 모르고
그대는 멈추지도 너그럽지도 않구려

표정 없이 시련을 이기라고 응원하며
따듯한 표정으로 감싸 안으며 수용하는구려

세상 그 어디에도 없는 맑음으로 미소 짓고
어려운 단얼랑 멀리멀리 작별하고

사막의 모래알만큼 행복을 누리며
저 하늘 은하수처럼 아름다운 인생을 즐기며.....

겨울 바람

구름인 듯 바람인 듯 사라져 가버리고
그것을 쫒는……

시련은 여름날 무지개처럼 사라져 가 버리고
희망은 봄날 살랑살랑 높새바람처럼 다가온다

바람에 한들거리는 갈대는 겨울을 환영한다
옷깃을 스치는 갈바람은 가슴에 파고든다

행복은 갈바람 타고 와서 솜사탕처럼 해맑게 웃는다
보는 이 풍성하고 달콤함을 느끼며 평온하게 한다

볼에 부딪히는 겨울 칼바람은 시련인가? 교훈인가?
시련이라면 떠나보내고, 교훈이라면 슬기롭게……
겨울바람은 하늘 구름을 모두 물리치고
맑고 맑은 푸른 하늘은 사랑 가득, 행복 가득 넘친다

희망이어라

하늘에서 내리는 빗줄기는 희망이어라
하나둘 온 세상에 내려앉아 어울어진다

한 방울 한 방울 희망이 되어 모든 이에게
소리 없이 커다란 행복을 선물한다

촉촉이 이슬처럼 영롱함으로 해 맑음을 주네
행복 가득, 사랑 가득 넉넉하게 찾아드는 미소

내리는 빗줄기만큼 행운이 함께 스며들고
촉촉한 만큼 부귀영화가 함께 하였으면.....

온 세상 사람 모두가 공평하다 느끼고 넉넉하며
서로 양보하고 배려하는 마음으로 넓게 보는 혜안이었으면.....

서로를 공경하고 존중하며 너그러움으로
잔잔한 오대양처럼 무궁한 선물을 베풀었으면.....

햇살의 미소

희망의 빛이 무엇이고 가시광선은 무엇인가
희망은 따사로움이요, 가시광선은 따가움인가

겨울 햇살이 희망 빛이 되어 온 대지를 적신다
햇살을 받는 모든 이에게 행운이 함께 하였으면.....

햇살은 누구에게나 희망의 빛이요 온화함이다
햇살만큼 미소 짓고 밝은 만큼 풍요로웠으면.....

세상 사람 모두가 미소 지으며 인사하고 만난다
서로에게 행복을 나눠주며 사랑을 즐겨본다

춥지만, 행복한 일요일 아침 – 靑松

한 걸음 전진!

겨울 아침은 짓궂다
서민 옷을 여미게 하고

가슴에 세차게 부딪히는 바람은
서민인 나의 마음을 아는지 모르는지

거침없이 곁을 스치며
고뿔을 선물하는구나

시련이란 친구와 유행을 따라 편승하며
오늘도 행복해지려 콜록댄다

희망과 행복을 위해
한 걸음 전진하며 성숙한다

행복이 가득한 대한민국
경제가 튼튼한 대한민국
모두가 안전한 대한민국이었으면.....

약속

법은 최소한도에 그쳐야 하고
상식이 통하는 우리 사회가 되어야 한다

법은 사회를 살아가는 최소한의 약속이다
약속은 옛 선인들이 지켜온 관습이기도 하다

사대부처럼 사대의 도리를 알고 정도를 지키는 것이고
보이지 않는 약속은 서로에 대한 신뢰이고 배려이다

통념상 그릇된 것은 행하지 않고 바르게 사는 것이고
약속은 존중하는 마음에서 배려하는 것이다

사대부는 군자의 도를 알고 행할 때 사대부이고
군자의 도를 망각하고 행한 횡보는 천민이다

언행일치

이 세상이 네 뜻대로 되겠냐?
세상이 호락호락하지 않더라

사리 분별하는 너만 하겠냐마는……
언행일치 안 되는 사람아 네 이름이 개나리더냐

내가 너라면 사대부처럼 곧고 강직하겠거늘
내가 너라면 평민의 맘을 깊이 헤아릴 것이거늘

피라미드가 안정된 것은 주춧돌의 공이거늘
중간 돌이 있어야 윗돌이 놓이는 이치거늘

세상 밝게 비추는 등잔은 밝게 빛나건만
정작 밝은 그림자 뜻은 헤아리지 못하는가?

아버지

아버지는 눈물이 없는 사람이다
슬퍼도 표현 안 하고 속으로 울며 되새긴다

아버지는 말이 없는 사람이다
기다리며 묵묵히 가족을 위해 침묵한다

아버지는 깊은 마음을 가진 사람이다
가슴에 비수를 꽂아도 넓게 넓게 품는다

아버지는 가장이라는 멍에를 쓴 사람이다
모진 일과 시련을 짊어지고 오늘도 걷는다

아버지는 가장 강한 책임감을 가진 사람이다
험난한 비난과 고통이 있어도 정도를 지킨다

아버지는 무언으로 교훈을 주는 사람이다
행동으로 실천하며 무언으로 가르침을 주신다

아버지는 험한 길을 걷는 나그네 같은 사람이다
가시밭길을 걸어도 얼굴엔 미소를 보여주신다

아버지는 반듯한 집을 짓는 건축가 같은 사람이다
시련과 고통에 굴하지 않고 바로 선 분이다

아버지는 세월의 흐름에 순응하는 사람이다
이마의 주름살은 세상 무엇보다 값진 훈장이요

아버지는 만사에 겸손한 사람이다
굽은 등은 배려하는 마음에서 굳어진 상징이다

아버지는 늘 평온한 사람이다
세월에 풍파에도 동요하지 않고 미소만을 보여 주신다

가을

가을 끝자락에 토닥토닥 내리는 빗소리가 정겹다
빗방울은 낙엽 위에 흩날려 넓게 넓게 퍼지고

끝자락 가을비는 희망을 알리는 예지인가
대자연 심술궂은 낭만의 짓궂음인가

비상하는 흙먼지를 다독여 차분하라고 속삭인다
우주 만물은 고요하고 차분하게 하나둘 익어가고

세상 모든 사랑을 담아 어깨동무하는 동심으로
얼굴에 송골송골 맺힌 영롱함을 순수함이어라

대지는 포근하게 숨 쉬며 찾아든 사랑을 품는다
솜사탕 같은 사랑은 온 세상 미소를 만들어 주네

가을은 풍성하고 넓은 맘으로 동장군과 겨울을 초대하고
기세 당당한 겨울의 동장군과 축제를 즐기고 긴 여행을 떠나간다네

현인이어라

사랑은 무지개 같고
우정은 강물과 같고

희망은 구름과 같고
행복은 미소와 같고

성공은 노력과 같고
실패는 멈춤과 같고

사람은 바위와 같고
진실은 투명과 같고

바름은 정도와 같고
실언은 거짓과 같고

거짓은 독약과 같고
난사람 선인과 같고

든사람 성인과 같고
된사람 현인과 같다

춤주는 행복

심술궂은 가을 세찬 바람이 불어와
멋들어진 가을 옷깃을 여미게 하고

대지 위 뒹구는 낙엽을 사뿐히 밟으며
세월은 사각사각 걸음을 재촉하네

비바람은 아쉬운 듯 서운한 듯 아우성을 내고
부지런한 시곗바늘은 쉼 없이 걸으며 익어가네

높은 구름은 뭉게뭉게 희망을 실어 나르고
훨훨 나는 새는 힘찬 행복의 날갯짓을 하네

아름답게 춤을 추는 사물은 선인이요
명석하게 생각하고 분별 함은 현인이어라

가을의 동경

가을비가 소리 없이 내려앉는다
세월이 익어감을 알리는 듯 느긋하게 찾아든다

천공은 높고 높으며 살며시 드리운 먹구름은
흐린듯하지만 환하게 웃는 미소처럼 보인다

환하게 웃던 해님은 슬며시 가을 구름 뒤로 물러나
가을의 익어감이 아쉬운 듯 늦추는 듯 움츠린다

소리 없이 내린 빗물은 대지 위에 낙엽과 뒹굴며 깊어져 가는
가을의 정취에 흠뻑 취해 황금물결이 넘실거린다

소복이 쌓인 낙엽은 우리네 세상에 행복이 쌓이며
포근함으로 다가오는 동장군을 두 팔 벌려 환영한다

경제는 가난하지만, 마음은 너그럽게
시련은 찾아들지만, 지혜로 극복하며
시야는 멀어지지만, 가슴은 가까이서
나그네 떠나가지만, 행복은 내 곁에서
태양은 눈 부시지만 따듯한 사랑이다

가을의 흐름

가을은 밤사이 조용히 왔다가 슬며시 가는 나그네
산천초목 시나브로 형형색색으로 흔적을 남기네

가을은 봄을 여윈 민들레 향기에 취해 미소 짓네
가을 햇살에 민들레는 한 것 멋을 부려 방긋 웃네

밤새 울던 귀뚜라미 밤을 벗 삼아 떠나가고
밝아 오는 아침에 싱그런 눈빛으로 꿈을 펼친다

은하수와 사랑을 속삭이던 이슬은 수줍은 듯 살며시 대지에 앉아
영롱한 눈빛으로 조용히 가을을 즐긴다

바람서리 변하지 않고 찾아들어 시간의 흐름을 알린다
자연의 아름답고 순수함은 세월에 편승하여 순리에 순응하며
청렴한 자태를 보여준다

사람의 향기

꽃의 아름답고 은은한 향기는 백리(百里)를 가고
형형색색 자태를 뽐내며 방긋방긋 웃는다

술잔에 담긴 술의 향기는 천리(千里)를 가며
순수한 술은 진심을 이야기하며 허울을 없앤다

사람이 지니는 기풍의 향기는 만리(萬里)를 가며
겸손함과 넓은 도량으로 됨됨이를 채우는 향기는 세상 어떤 향기보다
기억에 오래 남는다

국민이 행복해지려면 낮은 곳에서 공감하고
참다운 진실을 지니는 리더가 되어야 한다

감언이설이나 미사여구로 무장한 보스보다는
검소한 진실을 지니는 진정한 리더이어야 한다

행복의 미소

윗물이 맑으면 아랫물이 맑다
아랫물이 맑으면 윗물 당연히 맑다

정치가 깨끗하고 바르면 국민이 행복하다
국민이 행복하면 나라가 바르고 크게 성장한다

거짓은 탄로 나면 참이 된다
참은 탄로 나면 선행이 된다

행복해서 웃는다
웃어서 행복하다

오는 이 있지만 가는 이 없다
가는 이 있지만 오는 이 없다

옳은 것이 있다면 그른 것이 있다
그른 것은 옳음이 있으면 치유할 수 있다

누구에게 손가락질하기보다는 칭찬해라
선행을 하여도 들어내지 않는 행동이 현인이다

아름다운 세상

태양은 대지를 따듯하게 비추기 위해 있는 것이고
은하수는 밤하늘의 아름다움을 즐기라는 것이다

은은하게 비추는 대보름 큰 달은 오솔길을 비추며
나그네 발길을 가볍게 만들어 여정에 동행한다

달빛을 벗 삼아 어둠을 즐기는 부엉이는
눈을 크게 하고 세상을 바로 바라보며 행복을 노래한다

부지런한 이는 어둠을 걷어 새벽을 물리고 아침 행복을 맞는다
새벽을 가르는 저 새는 희망을 찾는 힘찬 날갯짓으로 꿈을 펼친다

눈 부신 태양은 따스한 사랑을 열어 온 세상에 행운을 나눠주며
수줍은 듯 넘치는 듯 그림자를 만들어 살며시 겸손해진다

정오(正午)는 겸손함을 물리치고 당당함을 드리운다
태양의 기운이 비추는 곳곳에 오로라처럼 아름다운 빛으로 온 세상을
축복한다.

시간이란

우리 세대는 일상에서 서운한 일이 있다면
이런 개(犬) 같은 경우가 있나 하고 화를 낸다

신세대는 좋은 일이 가득할 때나 충만할 때 개(皆) 같다고 한다

우리 세대는 개 같다고 하면 천한 것으로 생각하고
그냥 마당에서 키우는 강아지를 생각한다

우리 세대 개와 신세대 개는 사뭇 다르다
관점이 다르고 생각이 다르며 겪는 시대감이 다르다

격이 다르고 시대가 다르면 생각의 척도도 다르다
우린 이런 것을 이해하고 배려하며 존중한다

우리 세대와 MZ세대는 시대의 차이만 있을 뿐 이 시대를 열어
전진하는 것은 같다
시간이 흐르고 시대 사고(思考) 방법이 다르지만,
우리에게 주어진 시간과 흐름은 모두 같다

세월의 흐름

세월은 오가는 소리 없이 지나고
산기슭 흐르는 맑은 물 작은 소리로 메아리를 준다

살며시 아쉬운 듯 흐르며 소소함을 나누고
흐르는 샘물 따라 가을은 화려함으로 화장한다

들과 산은 색동저고리를 입고 멋을 부리며
하나둘 여행을 떠나는 낙엽은 대지 위 향연을 즐긴다

낙엽은 대지를 포근하게 감싸며 너그러움을 베풀고
대지는 가을 이불을 덮고 겨울의 낭만을 즐기려 살며시 기다린다

저수지 물안개는 가을 정취에 흠뻑 취해
은은히 피어나는 물안개처럼 찾아드는 겨울을 환영한다

신뢰와 지혜

당당하게 하는 말은 믿음이 가고
확신에 찬 말은 신뢰를 얻는다

자신 있게 하는 말은 실천의 의지이며
하고자 하는 의욕이 가득한 말이다

작은 일도 소중히 생각하고 하는 말은
세심한 배려이며 존중의 표시이다

밝은 미소와 함께하는 말은 친근감의 표시이며
상대를 헤아릴 줄 아는 이들의 표정일 것이다

부지런한 생각이 바른 행동으로 실천을 만들며
옳은 길을 바르게 걸을 수 있는 긍정이 된다

누군가 보내준 의미 없는 숫자는 행운의 표시이며
또 한 번 생각할 수 있는 지혜를 부여한다
오늘은 내일의 과거이며 어제의 미래였다

오늘이 중심이고 현실이며 오늘 정도를 걷는 것은
발전하는 나를 만드는 것이다

중앙소방학교 교육 중…… 2023. 10. 18.

청명의 아름다움

시간이 흐르는 것은 느껴지지만 보이지 않고
하늘 높이 노래하는 꾀꼬리는 시간을 가르며 난다

청명한 하늘은 높고 구름 한 점 보이지 않고
청명함은 하늘과 대지를 담으며 넉넉함을 내어준다

높이 나는 새의 노래는 온 세상에 울려 퍼지고
노랫소리는 행복이 되어 듣는 이를 축복한다

넉넉한 가을바람은 어느덧 곁에 다가와 있고
풍성하고 너그러운 마음과 희망은 하해와 같다

산에, 들에 피우는 늦은 꽃들은 봄인가 가을인가
색동저고리를 입은 화살나무는 겨울 여행을 준비한다

등불

어둠 속 등불은 희망이어라
어둠이 있어야 등불은 빛을 더하지만 밝음이 좋다

희미한 등불이라도 어두운 곳에는 참 이롭다
깜깜한 길을 비추고 미소로 길을 열어준다

등불은 길잡이가 되고 목표가 되며 포근함을 준다
나는 세상의 작은 등불이 되어 희망을 선물하고 싶다

힘듦이 있는 곳에 활력을 주고 북돋아 주며
좌절이 있는 곳에 용기와 희망을 주는 등불이 되고 싶다

작지만, 어두운 곳을 찬란하게 비출 수 있는 등불
소소하지만 환하게 비추고 인도할 수 있는 등불

크지도 않고 빛나지 않지만, 희망을 주는 등불
걸을 수 있도록 인도하고 길을 내어주는 등불

나는 만인의 등불이 되고 싶다
현인처럼 헤아리고 아우르며 품는 그런 등불이 되고 싶다

시간

시간은 소리 없이 찾아든다
늘 곁에 있음에도 찾지 않는다

시간이 떠나갈 때는 흔적을 크게 남긴다
이마에 훈장을 남기고 하늘은 더 멀리 보낸다

누구에게나 시간은 공평한지만 다르게 다가온다.
특급열차처럼 느끼는 이 완행열차처럼 느끼는 이

하루가 같고 한 달이 같으며 일 년이 같다
서로는 느낌이 다르고 변화하는 숙성이 다르다

같을 거라 희망하지만, 내용이나 보임이 사뭇 다르다
시간은 과묵하지만 받는 이 그렇게 다 다르다

시간의 흐름 속에 함께하는 우리는 그것을 잊는다
내일이면 또 찾아들 테니.....

오늘에 충실하고 주어진 시간과 벗하며 어우러지고
내일의 행복과 희망을 나의 것으로 만든다

느긋한 낭만

새벽을 가르며 도로를 달린다
여기저기 바쁘고 분주한 나그네들

새벽이 주는 분주함도 풍경도 좋다
공기가 좋고 시원한 바람이 좋다

서두르지 말라고 슬며시 도로에 안개를 드리우고
세상을 즐기며 낭만에 젖어 보라고 속삭인다

살며시 낭만에 편승하여 자연이 주는 아름다움을 느껴본다
안개가 물러나면 행복한 청명이 찾아 들고 모두의 얼굴에
미소가 가득하다

교육

지휘역량 반 교육받고 있다.
새로운 듯 묵은 듯하다

교육은 새로움의 시작이다.
미지를 개척하듯 하나둘 익혀간다.

자리에서 강사를 평가한다.
좋은 내용으로 정확히 전달하나?

교육생의 집중력을 어떻게 한곳에 모으나
집중력에 따라 강의 효과가 커지기 때문이다.

오늘도 새로운 과목으로 열심히 학습한다.

반기는 광고 불빛

오거리 한쪽 건물 앞에 한적한 작은 숲이 있다
돌의자에 앉아 오가는 사람을 보며 시간을 즐긴다

저 멀리 건물에 설치된 광고판은 휘영청 밝다
잠시 물끄러미 바라보며 시간을 멈춰본다

대보름 둥근달처럼 거리를 환하게 비춘다
오가는 나그네는 스쳐 지나가듯 광고와 빛을 벗 삼아 발길을 재촉한다

광고 빛처럼 반짝이는 모습은 인생과도 비슷하다
어두운 곳에 빛을 주고 바른걸음을 내딛는 모습들이 그것이다

반짝이며 환하게 비추는 빛은 희망이요
현란하게 움직임은 모습은 행복을 찾아 즐기는 것 같다

공원에 앉아 희망과 행복의 방청객이 되어 이 순간을 즐겨본다
오가는 나그네는 연기자이고 광고 불빛은 희망과 행복이 되어 사랑으로 우리를 맞는다

2023. 10. 8. 공덕에서.....

사랑과 행복

잠자리 이리저리 자유로이 바람을 가른다
하늘을 나는 저 새는 온 세상을 한눈에 내려본다

큰소리를 내며 나는 저 비행기 어디로 여행하나
꿈을 가득 품은 사람들을 싣고 높이 멀리 간다

높이 멀리 희망을 싣고 행복을 찾아 날아라
가득가득 사랑을 품으며.....

사랑과 행복도 나누며 크게 크게 나눠 주시라
사랑과 행복은 나눌수록 커지고 감출수록 작아진다

진심을 나누고 바름을 베풀 때 존재감이 보인다
바로 보고 정의를 직시하는 혜안을.....

나의 모습

한가위 보름달처럼 행복도 차곡차곡
행복이 하나둘 늘어감에 달빛도 밝아진다

달빛이 높아지고 더 멀리 빛을 비춘다
온 대지를 달빛으로 촉촉이 적시며 품는다

달빛을 품은 구름은 은은하게 빛을 전한다
뭉게뭉게 시나브로.....

보름달도 차면 기울고 조금씩 내려놓는다
가진 것을 나누고 베푸는 너그러운 마음에서다

언덕은 늘 오르막일 수 없을 것이고
내리막은 끝없이 멈추지 않을 수 없다

성공과 실패는 차이가 크지만 흐름은 같다
성공은 목표를 이룬 것이고 실패란 진행 중이다

둥근 보름달처럼 가득 채우고 넘치는 행복을 베푸는 것이 성공이고
초승달처럼 세상을 즐기며 시간에 편승하여 조금씩 조금씩
채워가는 것이 내 모습일 것이다.

순리

맑은 옹달샘이 흘러 냇물이 되고
작은 냇물이 흘러 호수가 되며

호수가 모여 맑은 강을 이루고
강이 모여 큰 바다를 이룬다.

맑음은 늘 순수함이요 가식으로 포장하면 안 된다
허울 좋게 수면만 맑으면 속내까지 맑더냐?

한 방울이 없어도 호수나 강은 변함이 없다
그 한 방울을 아까워하는 이는 뭐가 아쉬운가

오염은 마땅히 제거되어야 하고
신선함은 마땅히 채워야 하거늘

탁한 한 방울이 사라지면 그만큼 맑아지는 것을
호수가 맑아 못산다고 하는 아우성은 무엇인가 미지의 세계인가

그런 것이 그 판의 정도이더냐 고작.....
백성이 함께하길 바라지만 정승들은 아랑곳하지 않는구나!

공허한 마음

늘 허전하고 외로움은 나만의 생각일까
무언가 어긋나는 것 같고 부자연스럽다

생각대로 뜻대로 되지 않는 것처럼 느껴진다
내 생각대로 되길 희망하고 쉽게 생각하는 것인가

살며시 나를 곱씹어 보며 사색에 잠긴다
재촉하며 사는 것은 아닌가, 쫓기며 사는 것은 아닌가

큰 목표를 정해 놓은 것은 아니지만,
작은 소망으로 평온하길 바라는 것인데.....

조급한 마음은 무언가 이루려는 것이겠지
보이지 않는 욕심을 잡으려 조급한가 보다

무엇이 그리 조급하게 만드는가
급한들 시간이 천천히 움직이고

한가한 것일 듯하지만, 시계 초침처럼 분주하다
그렇게 분주한 것이 인생이려니.....

공평한 하루

하루는 공평하다
누구는 하루가 짧고, 누구는 하루가 지루하다

하루는 태평하다
급한 것도 없고 서두를 것도 없다

하루는 주어진 시간에 충실하다
짜인 계획에 맞춰 빈틈없이 움직인다

하루는 숨 가쁘고 땀이 맺혀도 같다
바쁘지만 한가하고 한가하지만, 바쁜 하루

오늘에 충실하며 하루를 즐기며
오늘보다 더 행복한 내일이 나를 맞는다

하늘

하늘이 맑다.
덧없이 청명한 미소를 보여준다.

하늘이 높다.
푸르름을 보여주며 힘차게 비상하라 한다.

하늘이 넓다.
마음껏 전진하고 큰 꿈을 펼치라 한다.

하늘이 가깝다.
살갑게 다가와 가을 마음의 칭찬을 전한다.

하늘이 겸손하다.
수수하고 평범해 보이지만 누추하고 초라하지 않다.

하늘이 순리를 이해한다.
거스르지 않고 시간을 존중하며 깊게 사색한다.

하늘이 감동을 준다.
넓고 높은 배려로 소통하며 아름다움을 살펴준다.

굳은 의지

하늘은 넓고 높다
대지는 넓고 온화하다

바람이 한(恨)없이 찾아드는 것은 선인의 바람이요
한들한들 스며들듯 찾아드는 것은 현인의 바람이다

좁고 가냘픈 아량으로 본다면 고을의 한 사람이요
넓고 깊은 마음으로 본다면 모두가 백성인 것을

한 치 앞도 몰라 겁을 먹고 헤매면서…
허우대를 지키려 온통 가식의 옷을 입고 멋을 내는 광대처럼…

삿갓에 도포 입고 탱자밭을 걸어도 선비의 도(道)를 지킨다
도포 자락을 탱자가 잡을지라도 동요하지 않은…

바른 생각으로 사리를 판단하고 직시하는 혜안으로
바른 생각과 굳은 심지로 통찰하는 내가 되고 싶다

소나기

예고 없이 빗줄기가 대지를 깨운다
어둠이 깊어 꿈을 꾸다 화들짝 놀란다

대지를 깨운 소나기는 호수 되어 흘러간다
대지에 앉아 유유자적 먼 여행을 시작한다

걸음을 재촉하는 나는 소나기를 피해 몸을 숨긴다
처마 끝으로 피해 내리는 소나기를 마중한다

쉼 없이 대지 위에 내려앉아 속삭인다
묵은 것은 슬며시 흘려보내고 새 희망을 심으라고

어두움은 젖은 대지의 포근함에 슬며시 앉긴 다
나는 한 번 더 발걸음을 재촉하며 바로 걷는다

우산을 들고 걸음을 재촉하는 나그네를 비웃는 듯
소나기는 대지 품으로 숨으며 희망의 씨앗을 심는다

소나기는 희망을 심고, 어두움은 은하수를 품는다
희망은 꽃이 되고, 은하수는 수많은 결실이 된다

잡담 속 진언

네가 나일 수 없고 나 또한 너일 수 없다
이심전심은 동화 속 이야기이고 허울이더냐

넓으며 좁고, 좁고 넓은 것이 간사한 마음이더냐
따듯함이 쉽게 식어 차디찬 것은 간사함이더냐

조금 덥다고 지치고 늘어지더냐
춥다고 웅크리며 게으름을 키워가더냐

안과 밖을 더 여미고 내실을 튼튼히 함이더냐
횡설수설 잡담 속에 진언이 있더냐

인생사 塞翁之馬가 아니더냐
부귀영화도 누릴 줄 알아야 넉넉한 것이니라

甘呑苦吐이더냐 兎死狗烹이더냐
인생은 돌고 도는 것을…
너털웃음으로 후회 없이 사는 것이 가장 큰 행복이다

마음

네가 옳으냐
내가 옳으냐

한치냐 두 치냐?
넓더냐 크더냐?

높더냐 낮더냐?
깊더냐 얕더냐?

쉽더냐 어렵더냐?
가볍냐 무겁더냐?

사람은 마음 깊고 넓으며 헤아리기 쉽지 않다
순수함은 사람 됨됨이요 현인인 것을…

스며드는 행복

창밖으로 내리는 빗줄기는 세차게 땅에 부딪히고
빗방울은 조각나 주변으로 흩날린다

창에 부딪히는 빗소리가 정겹다
따닥따닥 쉼 없이 여름을 재촉하는구나

너는 살며시 내려오지만, 온 세상이 너를 맞이한다
숨기려 하지만 대지도 살며시 너를 맞는다

여름의 끝자락에 아쉬운 듯 너를 보낸다
살며시 살며시…

창가에 내려앉아 존재를 알리며…
주르륵주르륵 아니 도르륵 도르륵 흐른다

오늘도 빗방울만큼 행복하게 지내라고…
흩어지는 빗방울이 행복을 가득 담았다

넉넉한 마음

가을은 게으름뱅이
늦잠을 잔다

어둠은 떠나기 싫은 듯 자리를 지킨다
단잠을 자며 늦은 잠에 달콤한 꿈을 꾼다

풍성함과 넉넉함을 품는다
색동 옷과 황금물결을 흘려보낸다

두 팔 벌려 환영하는 저 노송은 아직도 푸르건만
세월에 편승한 나그네들은 하나둘 익어간다

고추잠자리 힘차게 창공을 날며 분주하다
하늘 저 철새는 높이 높이 날아 둥지를 향한다

가장 아름다운 미소는 함께하는 행복에서 본다
둥근 지구를 담아 두리둥실 마음을 다잡아 본다

굳은 마음

너의 마음
나의 마음

환하게 웃는 모습
근심은 날려 날려

크게 미소 지으면 액운은 멀리멀리
고뇌하고 또 고뇌하면 고통의 숫자가 커진다

때론 훌훌 털어버리고, 때론 거머쥐면서
사리를 분별하고 바로 보는 혜안을 갖어라

나는 나다 중심을 잃지 않고 흐름에 편승한다
강한 비바람과 뜨거운 태양도 늘 나와 함께한다

아첨과 칭찬을 구별하는 혜안
현실을 직시하고 사리를 분별하는 지혜
나서지 않는 겸손과 나누는 너그러운 덕

굽은 길도 바로 걷고 그른 것도 바로 보는 혜안
품을 수 있는 도량 우직한 심바우! 흔들림 없도다

가을의 구름

가을을 알리는 고추잠자리
여름 매미 보내고 창공을 가르며 활기차다

하늘은 높고 구름은 삼삼오오 모여 속삭인다
오늘의 행복과 평화를 위해 조금 높이 오르라고

하늘은 늘 에메랄드색으로 수수하게 옷을 입고
뭉게구름으로 소소하게 치장하며 멋을 풍긴다

들녘 버들강아지 한들한들 춤을 추며 흥을 돋운다
사과는 얼굴이 발그레 해지고 수줍음을 탄다

벼들은 슬며시 고개 숙이며 황금물결을 이루고
소소한 바람에도 살랑살랑 몸을 움직여 함께한다

여름을 즐기던 산천초목은 성급한 듯…
옷을 갈아입고 외출 준비라도 하듯 분주하다

만물과 자연의 섭리는 참 진솔하다
하나하나 가식 없이 참됨을 보여준다

덕(德)과 악(惡)

덕과 악은 대립하지만, 공통점이 있다.
서로를 시기하고 견제하지만, 서로를 돋보이게 한다.

덕은 쌓으면 쌓을수록 기쁨이 커지고,
악은 쌓으면 쌓을수록 분노가 커진다.

덕은 나누면 나눌수록 미소가 커지고,
악은 나누면 나눌수록 분노가 커진다.

덕은 내일에 넉넉함을 배려하고,
악은 눈앞에 분노만을 움켜쥔다.

덕은 악이 있어야 돋보이고,
악은 덕이 있어야 실체가 보인다.

덕과 악은 친구 하며 서로를 보정하고,
서로를 바라보며 보완하고 동경한다.

그것이 우리네 인상사가 아니던가? – 靑松 –

학습

학습이란 늘 새롭다
새로운 것을 배우는 것도 아닌데…

평소 간과했던 것을 학습하며 또 한 번의 느낌
이런 것이 사람이기에 느끼는 감정일 게다

한번 학습한다고 모든 것을 알 수는 없지만
반복하면 머리가 느끼고 몸이 느끼는 것을

책상 앞에 앉아 책장을 넘기며 새로울 글들을 접하고
머릿속 한 귀퉁이에 차곡차곡 정리해 본다
글자가 하나둘 새가 되어 날아가고

무언가 머릿속에 어렴풋이 남아 또 다른 의문을 남기고
한 번 더 학습하도록 만든다
학자들이 늘 연구하고 탐구하는 것이 학습이다

반복하고 새로운 것을 연구하는 일만의 일들이…
우린 그 결과를 다시 새기며 익히고 뇌리에 정리하는 행동으로
학습하는 것이다

학습은 지식을 익히는 것이 아니라 이해하는 것이다
반복적으로 읽고 외우며 암기하는 것은 학습이 아니라 노동이다

욕심

편안하게 앉아 잡념 없이 글을 읽는다
옳고 그름 보다 즐거운 글을 쓰고 읽는다

아름다운 글을 쓰고 읽는 것도 복이다
타인의 글을 읽고 호평하거나 비평하는 것도 복이다

읽기 좋은 글을 쓰고 바르게 읽히길 바라는 희망도 복이다
즐거운 의도로 행복한 마음을 드리우는 것도 복이다

걸음걸음 내딛고 한층 한층 올라가는 것도 복이다
올라가면 갈수록 겸손해지고 넓어지는 것은 됨이다

된 사람으로 산다는 것
난 사람으로 산다는 것
든 사람으로 산다는 것

이렇게 욕심으로 사는 것도 복이다
건강하고 행복하게 살고자 하는 희망을 품을 수 있다는 것도 복이다

삶이란?

검소하지만, 초라하지 않게
부족하지만, 궁색하지 않게

겸손하지만, 무식하지 않게
시기하지만, 용서하는 마음으로

오해하지만, 포용하는 마음으로
칭찬하고 응원하는 마음으로

사랑하며 노래하고 춤추며
노력하며 진심으로 베풀며

높고 넓게 헤량하고 웃으며
긍정하며 바로 보고 넓은 도량으로 살자

세상이 둥그니 마음도 아름다워라
큰마음으로 세상을 모두 담으리…

아침 희망

아침을 연다
하늘은 살며시 수줍은 듯 구름으로 얼굴을 가리고

창공을 나는 저 새는 새벽 운동을 하는 듯 힘찬 날개 짓을 하며
하늘은 화답이라도 하듯 살며시 구름 사이로 얼굴을 내밀어
미소 짓는다

행운을 알리는 듯 은행목은 두 팔 벌려 환호하며 손을 흔들어 행복을
나누려 한다
한 마리 까치는 기쁜 소식을 전하려는 듯 분주하다

바람은 살며시 옷깃을 스치며 더위를 달래고
귓전에 오늘도 희망 가득하여지라고 속삭인다
힘찬 빛을 품은 태양은 멀리서 다가오며 아침을 밝힌다

밝음을 느끼는 이 모두 활짝 웃으라고 골고루 밝혀준다
여름을 즐기는 매미는 아침 일찍 부지런히 움직이며 사랑을 찾아
노랫가락을 바람에 실어 보낸다

매미의 사랑 노래를 즐기며 가로수는 살랑살랑 어깨춤을 추며
노래가락에 흠뻑 취한 듯 하다

오늘도 모두 행운과 행복이 가득한 시간 되라고 바람, 매미, 은행목,
까치, 가로수 그리고 창공을 가르는 비둘기가 하나 되어
사랑을 노래한다

보이지 않는 약속

살아가며 서로 교감하고 대화하며 미소 짓는다
시대를 함께 사는 사람들 저마다 생각이 다르고 행동이 다르다

나만의 세계를 걷는 사람
더불어 사회를 보는 사람
혼자만 즐기려 사는 사람
남들은 몰라라 하는 사람
상대를 헐뜯고 내려 보는 사람
긍정의 마음을 품고 겸손을 지니는 사람

여러 사람이 함께하며 원활한 활동을 하는 것은
약속이란 신뢰가 있기 때문이다

서로 지켜야 할 도리, 금지된 일들
시간과 장소를 정하여 정담을 나누는 시간
서로 의무를 지키고 권리를 찾는 것도 약속이다

내가 행한 행동으로 상대에게 누가된다면 약속을 저버리는 것일 거다
우리가 사는 행복한 세상은 서로 보이지 않는 약속과 전통으로 이어진
관습으로 지켜진다

단순한 약속이 아닌 사회 예절과 도리를 지키는 것이다
때론 간과할 때도 망각할 때도 있다

잘못이 있는 곳에 용서를 선물하고
선행이 있는 곳에 박수로 응원하며

질타가 있는 곳에 겸허히 수용하고
시기가 있는 곳에 넓음을 내어주며

희망이 있는 곳에 노력을 선행하고
행복을 찾아 사랑을 노래하는 현인의 길을 걷고 싶다

익어가는 행복

무엇이 옳고 그른가, 정체성이 없어진다
삶을 즐기는 것인가, 즐기는 것이 삶인가
황소도 언덕이 있어야 비비는 것이라 배웠다
가진 것 없는 나로서는 조급하고 힘들기만 하다

난 뭐 하느라고 즐기지 못하고 학습하는가
뭐가 그리도 작게만 움츠리게 만드는가
스스로 질문을 던지지만, 한숨이 답이 돼 온다
청소년 시절 내가 진심 힘들었기에 대물림이 싫다

자식들이 나처럼 살지 않기를 소원한다
취미생활도 중요하고 하는 일도 중요하다 서로 같이하면
조금은 수월할 수 있으련만…

지금보다 더 익어가면 못 하니 지금 해야 한다고…
난 지금 이루지 못하면 후에 더 고생한다는 생각이고
그대는 지금 즐기지 못하면 늙어 후회한다는 것이니
더 익기 전에 벌 수 있으니 벌어 쓰는 것이고

홍시가 되면 찾는 이 없으니 조금은 휴식하며 멋들어진 석양을 즐기고 여행하는 것도 좋으리라…
홍시가 되어 씨를 단단히 하고 익기 전 설계를 걸음으로 옮기며
미소와 함께 초양(初陽)을 보며 행복한 곳을 여행하고
석양(夕陽)을 보며 안락한 나의 보금자리에서
멋들어진 벗들과 파티하며 즐기리라

정도의 철학

습관처럼 낙서하며 메모한다
습관이란 것이 좋을 때도 힘들 때도 있다
오늘은 생각나는 대로 긁적여 본다

군자는 지식이 많아 칭송받는 것은 아니다
바른 생각을 이야기하고 거짓 없는 말을 하며
높은 도덕성을 가진 사람이다

맹자는 덕이 많아 역사에 남은 사람이 아니다
덕의 정치, 왕도 정치를 주장하며 백성들이 호응하는 것은
사람의 본성을 선의로 본 사람이다

공자는 학자로서 칭송받은 것이 아니다
예와 악(樂)을 기초로 유학 경전을 정립한 사람이다
달리 보면 정치인으로 유명한 사람이다

노자는 사상가로서 유명한 사람이다
인위적인 도덕이나 위선을 배척하고 근원적인 진리로 나가고자 한
사람이다

소크라테스는 그리스 철학자 중 한 사람이다
모든 일을 대화로 풀려고 했고 평생 철학에 관한 토론을 한 사람이며
사형을 당하는 날까지 대화와 토론을 한 사람이다

선대 학자들은 정치적이나 철학 그리고 유학을 나름 정리한 분들이다

옳고 그름이 아니라 당시 시대상을 정리하고 자신의 영역에서
연구한 것이다

현시대는 글보다 대화가 빠르고 편리함을 느낀다
책을 읽는 시간은 줄고 컴퓨터를 보며 정보와 지식을 나눈다

변하지 않는 것이 있다면 정도의 철학이다
옳음은 곧고 그름은 굴곡이 있고 선과 악의 구별이 있다는 것이다

이 시대를 살면서 사랑을 나누고 베풀며 미소 짓는 이로 살아가며
만나는 이들이 성공하기를 기원해 본다
상대가 성공하면 나도 덩달아 목표를 이루고 행복해진다

배려하는 마음

무화과는 꽃이 없이 열매를 맺는다
잎은 넓고 그늘을 만들며 열매가 맺히면 잎은 영양을 열매에 양보하고
잎을 떨군다

석류는 실내에서 연약하기만 하고 햇볕을 보여 주니 잎이 타 떨구더니
더 강한 새잎이 고개를 내민다
여름 태양의 가한 정기를 가득 머금고 늦게 꽃망울을 피운다

식물은 정성을 들이고 가꾸면 환하게 웃으며 미소로 보답한다
사무실 한쪽에 자리를 만들어 놓아둔 식구들이 늘어 이제는 작은
정원이 되었다.

순리에 따르며 배려하는 마음으로 대하니 환하게 웃는다
힘들면 힘들다고 색을 달리하고 힘든 표현을 한다

사람의 마음이 아름다운 것도 주변 환경이 만들어 준다
선하게, 아름답게, 배려하며, 존중한다면 얼굴 붉힐 일이 없다
늘 선한 맘으로 긍정을 갖고 배려하는 이 되었으면 하고 희망하여 본다

행복이 가득

행운목은 늘 두 팔 벌려 미소 짓는다
행운목은 다복하고 우아함을 품어 행복을 건네준다

늘 푸르며 긴 팔을 벌려 선과 악을 모두 맞는다
중심을 지키며 곧고 바르게 지니는 향이 멋들어지다

온 세상 행운을 가득 품고 만나는 이에게
푸르름과 곧은 의지를 하나둘 나눠주며 미소 짓는다

하나를 이루면 또 다른 하나를 위해 새 희망을 피우며
속내를 슬며시 드러내고 새 희망과 행운을 싹틔운다

인생의 희망도, 미소도, 행복도 모두 하나 되어
집안 가득 행복한 기운을 다복한 꽃송이로 피우며 진한 행복의 향기를 전한다

오늘은 글을 읽는 모든 이에게 행운과 행복이 함께하길 기원해 봅니다

아름다운 칭찬

대자연은 시간이 지나면 지나가고 다시 윤회한다.
사람의 뇌리에 즐거움은 쉽게 지나가고 잊힐 수 있지만
서운함이나 아픔은 쉽게 지워지지 않는다.

무심코 건넨 말 한마디가 때론 큰 칼날이 되어 상처를 주기도 하고
따듯한 말 한마디가 큰 용기를 주어 큰일을 도모하는 원동력이
되기도 한다.

아름다운 말은 많지만, 그 말을 쉽게 꺼내어 상대에게
칭찬은 인색한 것이 우리 일상이다
하나하나 노력하다 보면 덕담이나 칭찬은 쉽게 할 수 있다는 것을
알게 된다

덕담과 칭찬은 때에 따라 다르고 말은 장소에 따라 달라 들린다
덕담이 지나치면 비수가 될 수 있고, 칭찬도 지나치면 안 하느니만
못하다

상대를 존중하고 다가서며 건넨 웃음과 진정한 덕담은 우정을
싹트게 하지만, 바람이 있는 덕담은 거리를 멀게 하고 골을 만든다

배려라는 말도 상대에겐 부담이 되고 거부가 된다
서로를 진정으로 배려하는 것은 양지하는 마음이다

도움을 주기보다는 마음을 헤아리고 존중하는 것이 진정한 배려이다
편안함을 주는 주말 날씨도 환하게 웃는다

버스

흔들흔들 오늘따라 버스가 분주하게 달린다
앞으로 뒤로 흔들리고 왼쪽 오른쪽 어지럽다

뭐가 그리 바쁜 것인가 경적도 한몫 거든다
빗길 안전하게 이동하였으면, 슬며시 희망해 본다

창에 부딪히는 빗줄기는 쉼 없이 흘러내리고
창에 내려앉은 빗물을 닦는 와이퍼는 정신없이 움직인다

주말 한적한 도로를 달리는 버스의 심장 소리가 우렁차다
늦은 시간을 잡으려 하는지, 핸들과 기어가 분주하다

정류장에서 30분 이상 기다려 버스에 몸을 실었는데
버스는 정류장을 지나칠 정도로 무척 급한 모양이다

급할수록 돌아가라!
차근차근 바퀴를 굴려 달려가기를 희망해 본다

흔들리는 버스는 전후, 좌우 바쁘고
덩달아 흔들리는 나는 안전까지 흔들리는 듯하다

비 내리는 토요일 버스에서……

사람이란…?

무작정 글을 쓸 때가 있다
옳고 그름보다 그저 느낌 그대로를 적는다

사물을 보며 적고
생각을 적을 때도 있고
펜 가는 대로 막연하게 쓸 때가 있다

꽃을 보고 느낌을 적을 때도 있고
사람의 행동을 적을 때도 있다

주변 사람을 보고 느낀 점을 은유적 표현으로 쓰기도 한다
잘잘못을 쓰기도 하고 주장을 쓰기도 한다

아침이란 글과 아부란 글이 문득 뇌리를 스친다
같은 것 같지만 확연한 차이가 있음이야…

오글거림에 행하지 못하지만, 스스럼없이 하는 이를 보면
식상하기도 하고 용기가 있다고 표현하기도 한다
세상이 둥글게 생긴 것은 이러한 일들을 이해하라고, 우주의 힘을
헤아려 보라고 만들어진 것일 듯하다

모난 이가 있으면 둥글둥글한 이도 있고
강한 이가 있으면 부드러운 이도 있고
된 사람이 있는가 하면 난 사람도 있고
든 사람이 있는가 하면 벽창호 사람도 있다

그른 것이 아니라 어떤 시각으로 대하느냐에 따라 다르게 비친다
모든 이들의 내면에는 선함이 심지를 굳히고 있다

선함을 표현하는데 오해가 생기고 악이 될 수도 있기에 표현함에
숙고해야 한다
나를 잠시 되돌아보며 그릇된 표현과 과한 언변을 전한 건 아닌지
되뇌어 본다.

비 내리는 금요일에…

단비

시원하게 여름을 씻어준다
바람도 활기차게 소식을 전한다

비와 바람은 우정이라도 나누듯 함께한다
비바람에 놀란 새들은 나무 아래 비바람을 피한다

구름은 비를 내리며 잘 가라 뒷모습을 바라본다
대지에 부딪힌 빗방울은 대지 위를 흘러내린다

비바람은 대지를 달래고 촉촉함을 선물하며
새 생명이 용솟음치도록 활력과 기운을 불어넣는다

들녘 초목은 하늘에서 마실 오는 빗줄기를 마중한다
빗물을 머금고 축 처진 소나무는 내면의 즐거움을 품는다

가로수는 우뚝 서서 당당하게 이 시간을 즐긴다
대지에 내린 비는 단합이라도 하듯 한곳으로 모인다

맑게 웃는 햇살

가로수는 여름 끝자락 바람이 흥에 살랑살랑 춤을 춘다
햇살은 춤을 보며 흥에 젖어 더 강한 빛을 고루 나눠주려 한다

땅바닥에 부딪힌 햇살은 대지를 뜨겁게 달구고 강아지는
더위를 못 이겨 혀를 내두른다
시원한 그늘을 찾아들어 지친 걸음을 잠시 멈춘다

소나기는 봇짐을 꾸려 어디론가 기약 없이 떠나고
하늘은 조롱이라도 하듯 맑게 맑게 웃는다

멀리서 다가오는 카눈은 요란을 떨며 빗줄기를 동반하고
서서히 다가오며 청량 같은 빗줄기와 큰 재난을 선물한다

세상의 지저분한 것들을 날리며 더 강해지라고 바짝 대든다
시원하고 깨끗하게만 하고 재난은 데리고 멀리 떠나가기를…

오늘이 지나면 내일은 조금 시원하려나 희망한다
다가올 희망을 부푼 마음을 열어 살며시 미소 짓는다

사철나무

사람은 인정이 있어야 사람이고
꽃들은 자연의 순리에 적응하여 환하게 웃는다

강아지는 재롱을 부리는 귀여움을 지니고 있고
갈매기는 우아함을 지니며 바다 위 하늘을 난다

사슴벌레는 햇살에 눈 부셔 땅으로 슬며시 숨고
매미는 나무 그늘에서 사랑 노래를 목 놓아 부른다

푸른 소나무에 앉은 비둘기는 행복을 노래하고
솔솔 부는 바람은 향긋하며 포근한 선물을 준다

바람에 흔들리는 수양버들은 풍성한 희망을 품고
담장 사철나무는 늘 같은 자리에서 같은 옷을 입고 변함이 없다

우리는 사철 아름다운 상록수처럼 밝음이 가득하다
봉사를 알고 사랑을 실천하는 푸르름이여

비바람에 흔들려도 뿌리는 흔들리지 않으며
늘 청량하고 푸르며 미소 가득한 그대는 사철나무!

출동이다

이른 아침부터 사이렌 소리가 요란하다
급박한 재난 현장에 도움의 손길이 필요하다

행인은 한가로이 교통혼잡을 즐기며 점유하지만
출동하는 이들은 애가 탄다

1분 1초라도 현장에 일찍 도착해야 하기에
앵앵 사이렌을 울리고 안전을 기도하며 달린다

모든 대원은 인명 피해가 없기를 간절히 희망한다
상처는 치료되지만 흉터와 아픔은 기억에 남는다

나는 이른 아침부터 사이렌 소리 요란하게 울리면 현장으로 향한다
먼저 도착한 대원이 화재를 진압하고 안전을 확보했다는 무전 소리가
크게 들린다

다행이다 인명 피해는 없다 안도의 가슴을 쓸어내리며…
오늘도 모두의 안전을 위해…

무궁화

무궁화는 아침에 피고 저녁에 진다
화려한 것 같지만 수수하고 수수한 것 같지만 화려하다

무궁화는 단명하는 꽃임에도 우리 국화처럼 여기고 있다
문언을 찾아봐도 딱히 국화라 정한 곳을 찾기 어렵다

무궁화는 꽃은 아침에 만개하여 짧게 피고 저녁에 지는 단명하는
꽃이다
그러나 꽃보다 나무를 보면 무궁화꽃을 피우는 나무는
또 다른 꽃봉오리를 준비하고 꽃을 피운다

무궁화는 피고 지고를 반복하여 끊임없이 피는 꽃으로 포기하지 않는
우리 민족 관습처럼 무궁화를 우리 꽃으로 인식하고 있는 것은 아닌지?

국회의 상징이 되어 의원이 배지를 달고 자신의 지위를 표시하지만,
어떤 이유로 무궁화 모양을 배지로 하고 무엇을 상징했는지,
알고 있는 이 몇이나 될까?

진정 무궁화처럼 계속 웃을 수 있는 대한민국 번영을 위한 입법을 하고
국민의 정서에 맞는 행정을 하며 통찰력 있는 판단을 하는지
잠시 뇌리를 스친다

무궁화는 그 자체로 보기 좋고 평온한 꽃이다
분홍색 꽃잎으로 포근함을 느끼게 하고 꽃 속 붉은색은
우리 민족 고유의 정열을 나타내고 황금색 꽃술은

우리나라의 부귀영화를 뜻하는 것은 아닌지 생각해 본다

무궁화는 시간이나 공간의 끝이 없는 꽃!
우리 민족의 정서와 쉼 없는 정신력을 상징하는 것은 아닌지

밝고 발전된 대한민국이 되고
영원하리라 하는 상징적 의미가 아닌지
무궁화는.....

진실은 아름답다

화재란? 참으로 알 수 없다
어디서 어떻게 왔는지?
왜? 매우 화내고 존재를 드러내는지.....

현장을 조사하다 보면 반론에 부딪힐 때가 있다
기준이 있고 기본이 있다면 굴할 이유가 없다

보편타당한 객관적 사실과 과학적 근거가 있다면 인용하는 것이 이치나
순리에 맞다
인정에 휘둘러 사실을 왜곡하고 치정에 얽혀 그릇된 판단을 할 수 없다

정도를 걷는 그 길이 어렵고 험난한 길이라는 것을 알면서도
늘 꿋꿋하다

진실은 진실의 자리에 있을 때 가장 아름답고 보기 좋다
인맥이 있다고 하여 진실을 숨기고 가식에 동조할 수 없다
그 길이 사모관대 행장을 하고 탱자 나뭇길을 걷는 길이라도.....

진실을 왜곡하면 더 큰 실의에 드는 이가 있기 때문이다
내가 100% 옳은 것은 아니니다
최대한 과학과 논리로 진실을 말하고 싶다

틀린 것은 틀렸다고 말하고 행동하는 것이 나답다
흐름에 휩싸여, 사정이 있다고, 강자라고 하여 진실을 가릴 수 없다
도움이 필요한 곳이라면 진실을 가려 놓고 그 안에서 최대한 법령과

방법을 모색하고 피해를 줄일 방안을 찾아야 한다

참과 거짓은 공존하지만 분명하게 분리되어 있다
참말을 하고 진실을 세우는 것이 옳다고 믿는다

때론 불의와 혹은 악의와 타협하고 싶을 때도 있다
그러나 그렇게 행하면 타인보다 나 자신이 못 견딜 것 같다

비바람이 불어와도 지구는 자전하고
천둥–번개가 찾아와도 밤과 낮은 바뀔 수 없다
작지만, 나만의 자존심을 지키며 세상을 살고 싶다

어떠한 시련과 부딪혀도 어떤 난관이 있어도 중심을 지키며
대한민국에서 배운 지식과 상식 그리고 도(道)를 환원하고 정도를
걸으며 늘 해맑은 얼굴로 진실을 논하고 싶다

오늘도 덥지만, 작은 자존심을 지키며…

여름의 서정

비가 오면 우산이 필요하고
바람 불면 바람막이가 필요하다

태양이 살포시 따스함을 쬐면 살며시 포옹하고
조금 뜨겁고 강하게 쬐면 그늘을 찾는다

한낮의 매미는 구애하는 노래를 부르고
사슴벌레는 살며시 여름을 피해 땅속으로 숨는다

강가에 오리 가족은 한여름 물놀이를 즐기고
물방개는 화들짝 놀라 멀리멀리 여행한다

나무도 여름 햇살이 더운지 땀을 흘리고 인내한다
나무 그늘에 개미는 분주하게 가을을 준비하나 보다

세상은 자연과 같이 오묘하고 복잡하게 얽혀 윤회하(輪廻)는 것 같다
긍정으로 살고 번뇌하면 덧없이 행복하다

불볕더위지만 긍정으로 시원하게 여름을 보내봅시다
설렘 가득한 가을이 찾아오고 있으니…

존중은 신뢰다

행복하신가?
덩실덩실 더덩실 어깨가 들썩인다

사랑하시는가?
헌신하고 보듬으며 온기를 전한다

즐거우신가?
일이 술술 풀리고 절로 미소가 찾아든다

건강하신가?
긍정의 웃음으로 넓음을 베푼다

열정이 있으신가?
용암보다 더 뜨거운 집중력을 발휘한다

박식하신가?
실마리를 풀듯 어울리고 화합하는 지혜가 있다

존경하시는가?
선인의 덕을 배우고 헤아림으로 덕을 쌓는다

배려하시는가?
아래를 보고 이해하며 위를 보고 양지를 배운다

소통하시는가?
너나 할 것 없이 이해하고 주고받는 말이 하나다

존중하시는가?
상대의 의견을 귀담아듣고 충언과 인용을 나눈다

한발 다가가면 10년이 가까워지고
두발 다가서면 100년이 두터워진다

서로에게 덕을 주고 사랑을 베풀며 살아보자
조금 손해 본들 무엇이 달라지랴? 함께하는 세상!

객관적 순리

화재가 발생하면 궁금한 것이 화재 원인이다
원인에 따라 책임소재가 나눠지고 시시비비를 가리려 방어전을 펼친다
어떤 현장에서 원인을 놓고 다툼이 있다
서로의 주장과 입증을 한다
어느 주장이 맞고 어느 주장이 틀리는지?
예를 들어 제조물에서 화재가 발생했다? 아니다! 공방을 벌이고 있다

참 irony 하다
증거를 수집하고 전기적 원인에 의해 발생한 흔적을 규명하고
감정기관에 감정 의뢰하여 전기적 특징이 관찰된다는 감정결과가 있다
그렇다면 화재 원인이 정확한 것인가?
다투는 양쪽 즉 가해자, 피해자 측 감정인들은 제시된 자료들을
모두 검토하고 각 당사자의 유리한 부분에 대한 논리를 감정한다
참 irony 한 것은 왜? 발화 원인만을 논하는가?
참으로 답답하다 원인에 앞서 최초 발화지점이 맞는지, 그릇된 건인지?
먼저 확인하고 입증해야 하는데 그것은 보이지 않는지?
안 보려 하는 것인지?

하여 심리를 의뢰한다

전문심리위원은 제시된 문건과 증거를 토대로 진실에 대한 O, X의
의견을 개진한다.
한참을 보다 참 기가 막힌 증거를 발견하고는 경악한다

발화지점이 다른 곳에 있음에도 엉뚱한 지점에서 증거를 제시하고
감정했다
감정인은 제시된 증거만을 분석하고 O, X를 감정할 뿐이다
그릇된 발화지점에서 증거를 찾아 감정의뢰 하면
참인 증거가 아니더라도 감정에서 참이라는 명제가 나올 수 있다
그러나 그 참이 진실이나 옳음이 아니다
독수독과처럼 그릇된 발화지점에서 발굴한 증거는 진실한 증거일 수
없다

발화지점이 다른 곳인데 마치 증거를 찾은 지점이 발화지점인 양
기록하는 것은 큰 오류가 있거나 의도적으로 증거를 발굴한 것으로
해석된다
차라리 동영상을 제시하지 말았으면 서면 증거로 분석했을 텐데.....
동영상을 보고도 그렇게 의견을 개진합니까? 한다

물론 해석하는 사람에 따라 다를 수 있으나 간단한 논리 입증이나
진실은 왜곡할 수 없다
예를 들어 풍하(風下)가 왼쪽에서 오른쪽이라면 연기는 당연히
왼쪽에서 오른쪽으로 흘러간다
왼쪽에서 연기가 분출하고 오른쪽에 화염이 있다 그리고 증거로
제출된 전기적 요인의 증거물은 연기 속에서도 원형으로 잔류해 있다
그렇다면 발화지점이 어디인가?

발화지점을 규명하고 원인을 발굴함이 순서인데 이 사건은 증거를
발굴하고 원인을 규명하고 발화지점을 확정하는 순서를 밟은 것 같다
논리 입증 방법이나 원인 규명 순리가 어긋난 것은 아닌지?

어머님 사랑합니다

문득 생각나 짬 시간에 적어 본다
세상 모든 자식이 그러하듯 어머니 그늘에서 사랑은 느낀다
아버지는 늘 무뚝뚝하셨고 소리 없이 하늘의 별이 되시어
우리 가족을 지켜주고 계신다.
고맙습니다. 사랑합니다.

최선을 다하며 정도를 걷겠습니다.
모진 바람 따가운 시선에도 아랑곳하지 않으시고 바른길로 살라
훈육하신 어머님!
세상에서 가장 아름답고 높으신 분 그 이름 어머니!
다른 이들이 자식 자랑하고, 재력을 과시해도 흔들림 없이 자식을
믿어주시던 어머님!
어머님은 자식이 학업을 열심히 하여 판, 검사가 되었으면 하는
바람이 있으셨나 보다……
판검사가 아니라면 신망받는 학자의 길을 가기를 원하셨던 것 같다

나는 어머님을 양지(諒知)하지 못하고 마냥 철부지로 살았나보다
학교 다닐 때 입학식 졸업식에도 못 오시고 국민학교(초등학교) 졸업식
에 참석하시고 이후 참석이 없으셨다
삶이 고단하시고 또 졸업식에 다른 친구들은 우등상이다, 표창이다
받을 때 초라한 나의 모습을 보여드리기 싫었는지 모르겠다
나는 변변치 않은 상장 하나 없이 졸업하는 나를 어머님께 보여드리고
싶지 않아 졸업식을 알리지도 못했다

어머님은 아들을 끝까지 믿어주시고 아무 말 없으셨다

그때는 그렇게 어머님이 모르고 계시었는가 보다 생각하고 넘기곤 했다 그러나 어머님은 다 알고 계셨고 감내(堪耐)하고 계셨다
어머님은 늘 자식을 믿고 기다려 주셨다

어머님 이제 못난 아들이 자그마한 선물을 준비합니다
어머님 제가 자그마한 선물 하나 드릴게요!
비록 학창 시절 공부를 못해 판검사는 못했지만, 늦은 공부로
박사학위 선물 해 드릴게요
어머님 박사복 입으신 사진 찍어드릴게요
중단했던 학업을 다시 시작하고 대학, 대학원을 남모르게 12년!
노력 끝에 최종학력 졸업식을 맞이한다
자식의 마지막 졸업식에 참석하시어 환하게 웃으신다

어머님!
진정한 박사는 어머님이십니다
박사복, 박사모가 참 잘 어울려요
박사복으로 어머님 사랑에 보답할 수 없지만 미소 가득한 용안을
뵈니 자식 얼굴에도 웃음이 찾아드네요
아들 졸업식에 참석하시니 기분이 어떠세요?
제가 드리는 박사복 선물 맘에 드세요?
어머니 선물이 너무 늦었지요?

어머님!
아들 열심히 살고 있고 남에게 모나지 않게 바르게 살고 있습니다
세상에 노력 없는 성공은 없다는 말씀!
멈추지 않는 한 실패는 없다
노력하고 최선을 다하며 잘 새기고 있어요
어머니 사랑합니다. 그리고 고맙습니다

정겨운 여름

창공은 높고 하늘은 맑다
태양은 해 맑은 얼굴로 내려본다

수목은 강렬한 태양에 수줍어 고개를 숙인다
녹음은 그늘을 만들어 쉼터를 만들어 준다

태양과 녹음은 서로를 바라보며 사랑을 속삭인다
서로를 수혜하고 서로를 힘들게 하면서 성장한다

창공은 맑은 숨결을 선물하며 교감한다
태양과 수목 그리고 지구촌 주인들을 반긴다

나무 그늘 매미는 햇살을 맞으며 힘찬 노래를 한다
긴 준비 끝에 노래하고, 사랑을 나누며 즐겁다

나뭇가지 사이 거미는 사냥 준비로 분주하다
아름다운 거미줄로 덫을 만들어 유혹한다

귀청을 울리는 매미 소리. 사냥꾼 거미, 늘어진
나무가 어우러져 자연의 오묘함을 보여주며
현세에 슬며시 미소를 선물한다

소소한 행복

시원한 바람이 솔솔 스며든다
햇살이 오기 전 부지런한 이에게 선물이다

버스 에어컨 바람에 시원함을 더한다
가볍게 걸으며 송골송골 맺히는 땀방울이 좋다

너무 덥지도 않고 시원하지도 않은 이 시간
미소 가득 분주한 사람들 발걸음이 가볍다

일터에 출근하려 분주한 모습으로 보인다
나 역시 버스에 몸을 실어 여유를 즐겨 본다

짬 시간 글을 쓴다는 것은 무척 분주하다
글귀는 빠르게 떠오르고 낙서를 즐길 수 있다

이런 행복은 이른 아침이 주는 행복 아닌가
글을 쓰다 보면 어느새 목적지에 도착한다

버스에 작별하고 일터를 향해 또 걷는다
산책길처럼 놓인 길을 걸으며 주변 꽃들과 인사 나누며 하루를 즐겁게
시작한다

글의 색

글을 쓴다는 것은 즐거운 일이다
글을 읽는다는 것은 행복한 일이다

내가 쓴 글을 누군가 읽어 준다는 것은 기쁨이다
마음에 닿는 글을 쓴다는 것은 어렵지만, 마음으로 글을 쓸 수 있다

글이란 강력한 무기가 되어 누군가에게 큰 칼날이 될 때도 있고,
희망의 등불이 될 때도 있다
어떤 마음으로 글을 쓰느냐에 따라 글의 색이 달라진다

한이 있는 글, 애환이 담긴 글, 희망이 담긴 글, 해법이 있는 글,
글은 마음의 표현이요 아름다운 언어의 향연이다

평온한 글을 읽을 때 슬며시 미소가 찾아들고 힘든 글을 읽을 때
눈시울이 뜨거워진다
짬 시간이 날 때 메모하고 시간 만들어 글을 이어간다

오늘도 기다리는 시간을 활용하여 글을 쓰고 있다
바른 말을 쓸 때면 스스로 겸허해지고 마음을 새로이 다잡고 생각이
바르게 잡히는 것 같다

늘 마음가짐과 행동을 바르게 하려 하지만 뜻대로 안 될 때가 있다
바르게 옳게 살며 덕을 쌓고 싶다
내가 바르게 살면 후세에 덕이 다가오지 않을까 하며 바르게 살며
정도를 걷는다

소주 한잔의 우정

한없는 사람이 있으랴?
거침없이 살고 후회 없이 사는 인생이라

모든 것을 취하려 해도 잡지 못하지 않느냐?
조금 천천히 간들 실패하는 것은 아니다

술 한잔에 취한들 실수가 있으랴?
천국에는 실수, 허수는 없는 것이라

취중에도 평소에도 꿈속에도 한결같이
후회 없이 행하고 바른길로 힘차게 걸으리라

소주 한잔에 진실이 통하고 우정이 싹튼다
술에 술 탄 듯 물에 물 탄 듯 어우러지는 것이 세상 아니더냐?

진실한 우리 만남이 이보다 더 좋을 수 있으랴?
모든 이가 부러워하는 우리 인연! 영원한 우리 인연!
바다와 같이 넓고 깊게 혜량하고 함께 나누자

시련의 행복

슬며시 미소를 감추는 너
시련과 슬픔을 품은듯 하다

넓은 속내를 살며시 뒤로 한 채
시련을 숨기고 청량함을 품은 채

먹구름 속에 아픔을 숨기고 눈물을 흘린다
한없이 허전하고 공허한 마음을 드러내듯

살며시 세상을 어둡게 하려 하는구나
칠흑 같은 어둠 속에도 희망의 씨앗은 싹틔우고

어두운 시련이 강할수록 희망의 빛은 빛나고
희망은 서서히 밝아지고 눈부신 행복이 온다

시련은 지나가고 사막의 모래알같이 수많은 행복이 나를 반기며
유유히 흐르는 강물처럼 영원한 사랑을 나에게 선물한다

소리 없이 가는 너!

한바탕 소란스레 찾아들어
순간 대지를 적시고 깨끗하게 하려는 듯하다

한바탕 행동으로 확~~~ 해결할 수는 없다
너는 천둥·번개처럼 왔다 소리 없이 가려느냐?

하늘은 해 맑은 얼굴로 너를 맞아준다
너는 청량이 되어 녹음을 적시며 베푸는구나!

맑은 하늘처럼 너의 심성도 곱고 높게 보인다
줄기차게 찾아드는 여름날 더위를 심성으로 달랜다

빨리 뛰어도 너를 피할 길 없고,
천천히 간들 너와 하나 되지 못한다

잠시 스쳐 지나는 나그네처럼
우직하게 왔다가 소리 없이 가는 너!

온 세상 슬픔을 하나하나 소리 없이 품으며
우리 곁에 행복 미소가 두 볼을 슬며시 적신다

미소를 주며

한들한들 힘없이 흔들리는 것 같지만, 바람의 가락에 흠뻑 취한다
바람과 하나 되어 덩실덩실 춤을 추듯 어우러진다

드넓은 벌판에 더불어 서서 흥에 취해 사랑을 속삭인다
손에 손을 잡고 흐트러짐 없이 하나 된 듯하다

연약하지만, 무엇보다 강하고, 강한 것 같지만 순수하고 여리다
들판에 흔한 잡초 같지만, 규칙 있고 강인한 자태를 뽐낸다

엉겨 있지만 풀어진 듯, 풀어진 듯하지만, 절도 있다
작은 바람에도 흔들리며 함께하고 고운 마음을 전한다

늘 미소를 가르쳐주며 희망을 노래한다
강하면 유하게 약하면 포근하게 가슴으로 함께한다

열리는 희망

희미하게 밝아오는 아침
하루를 열어 오늘을 시작하자고 분주하다

저마다 분주하게 환한 미소를 머금으며
새벽을 깨워 동행하자 재촉한다

밤새 환하게 웃던 가로등은 새벽 뒤로 숨으며
더 큰 선물을 준비하는 아침에 곁을 내어준다

나뭇가지 사이로 잔잔하게 찾아드는 청량 바람은
슬며시 희망을 열어 싱그럽고 밝은 하루를 맞는다

어제보다 더 좋은 오늘을 열어 아침을 여는 이에게
선의의 행복과 넓은 도량을 선물하려 하는구나!

온정

촉촉이 젖은 대지에 활력을 주려는 듯
환하게 웃으며 온 세상을 살핀다

더불어 보며 함께하고 포근한 온정을 나눈다
눈이 부셔 바라볼 수 없지만 숨결로 느낄 수 있다

때론 가시처럼 때론 비수처럼 나눌 때도 있고
때론 포근한 솜사탕처럼 달콤한 사랑을 나눠준다

행복을 받는 이 저마다 다르지만, 양(陽)은 고르다
사랑과 행복을 듬뿍 담아 나누고 모두를 포옹한다

방방곡곡 누구 하나 더 주고 덜함도 없다
하늘 아래 모든 이에게 골고루 함께한다

양(陽)은 희망과 사랑 그리고 행복을 분수처럼 뿜어준다
뒤에 있어도 앞에 있어도 고루 모두가 나눠 맞는다

나팔꽃은 '기쁜 소식'이라는 꽃말이 있네요

의지!

한눈팔다 보면 목적지를 지나친다
되돌릴 순 없지만 되돌아갈 수 있고 가야 한다

목표를 향해 달리다 잠깐 그릇된 생각을 할 때도 오지로 갈 때도 있다
바로 잡으려 다시 정도로 걸어야 한다

희망하고 계획한 목적지에 도달할 수 있다
편법이나 위트는 통하지 않는다

원인 없는 결과 없고, 노력 없는 성공 없다
좌절을 느끼는 것도 노력이 부족함에서 온다

된다는 의지, 할 수 있다는 신념을 키워라
된다, 된다. 된다! 할 수 있다, 할 수 있다, 할 수 있다!

까짓거 한번 해보는 거야
태양도 따올 수 있다는 신념으로 달리는 거야…

대중교통을 이용할 때 문득 생각나는 대로 적어본다
이런 시간을 즐길 수 있는 것은 대중교통이 주는 즐거움이다
막상 글을 쓰려 책상에 앉으면 멍해지기도 하는데, 대중교통을
이용하면서 생각나는 대로 적는다.

진실이란?

잘할 수 있는데
평온할 수 있는데....

아등바등하는 것은 뭐지?
몸부림쳐봐야 고작인 것을...

흔들흔들 버스도, 지하철도 달린다
지는 곧바로 달린다고 달린다

자기만 그렇지 실상 다른 넘이 바름인 것은 보이지 않는다고
아니, 보지 않으려 한다
지는 한 없이 비틀거리는데....

자기가 바름인 양한다. 아집인가? 고집인가?
물은 위에서 아래로 흐르는 것은 당연한 이치다

과학은 아래에서 위로 보낼 수 있다
그대는 거짓을 두려워하지 않지만, 나는 거짓이 탄로 나면 어떨까
하기에 쉽게 거짓을 말하지 못한다
그러나 그대는 거짓을 두려워하지 않는구려?

진실은 순간 베일로 가릴 수 있지만, 영원히 묻을 수 없다
그것을 너는 아느냐?

안 되는 일 없다

노력하면은...

나는 화재조사관이다
나는 무식한 공학박사다
모든 학문을 안다는 것도 어불성설이고 극히 일부만 아는
난 무식한 공학박사다

공부하는 것 쉽고도 어려운 일이다
문학과 공학을 학습하고 이해하고 풀어가며
이해되지 않는 내용은 무작정 외우기 시작했다
어쩔 수 없이 학습하고 외우며 하나씩 하나씩 내 것으로 만들었다

학습은 반복하고 노력하면 그리 어렵지 않다 다만 끝 없는 노력이
필요할 뿐이다
나무를 쳐다보며 오르지 못하겠다고 외치면 평생 나무 그늘에서
팔 벌린 나뭇가지만 쳐다본다

의지가 있다면 의지를 불태워라
그리하면 조금씩 앞으로 갈 수 있고 즐거움이 보인다
때론 무식함이 돋보일 때도 있고, 때론 유식한 척해야 돋보일 때가
있다

그러나 중요한 것은 진심이다
진심으로 대하고 진심으로 이야기하면 더 좋은 내일이 있다
난 무식하지만, 한가지 변하지 않으려 하는 것이 있다 소통하고
배려하는 마음이다

내가 조금 부족하다고 무시당하고 사는 것 또한 하나를 배울 수 있는 즐거움이 아닌가?
네가 조금 박식하다고 우쭐대는 것은 작은 사람이라서 크게 보이고 싶어서겠지?

난 무식하지만, 도리를 알고 순리를 따르며 바르게 살련다
무식하게 사는 것이 현명할 때도 있고 행복할 때가 있기 때문이다.

우린 한 치 앞도 모르면서 다 아는 양 포장할 때가 있지만, 그것은 바람일 뿐이다
오늘에 충실하고 현실을 즐기며 미소 짓는 것이 행복이다.

성공하는 인생!

세상에 태어날 때 두 주먹 불끈 쥐고 열심히 살아보겠다고 마음 다잡고 우렁찬 외침을 하며 존재를 알린다

살다 보면 평탄 길도 있고 오르막, 가시밭길, 수렁 등 변수가 많다

부모와 함께 걷는 길은 평탄한 것으로 알고
늘 웃음으로 대하고 미소만을 본다

걸음마를 시작하고 세상이 녹록지 않다는 것을 배우며
넘어지기도 하고 부딪혀 시련을 겪기도 한다

세상이 쉽사리 뜻대로 움직이지 않는다는 것을 깨닫고 사는 법은 하나씩 배운다
성장하고 반려자를 만나 행복을 꾸미고 둥지를 틀어 세상이 녹록지 않은 것을 배우면서 스스로 해결해 간다

새벽엔 평평한 땅을 고르고
아침에는 네발로 뛰며
점심에는 두발로 열심히 뛰고
저녁에는 세 발로 뛰며 안정된 듯
밤에는 평평한 곳에서 평온하게 쉬는 것이 인생이다

생로병사 또한 인생인 것을.....
즐겁고 행복하게 사는 것이 성공하는 인생이다

진실은 진실이다

그대가 계속해서 원하는 바를 요구하지만, 방법이 그르다
방법을 찾고, 원하는 바를 입증할 수 있는 사람, 자료를 찾아라
나는 해줄 수 없다 다만 조언할 뿐……
자기주장을 펼치려면 정확하게 해야 한다
사법부, 입법부, 행정부가 다르듯 주장도 다르다
민원이나 이견을 제출한다면 절차에 따라야 하고
절차를 안내했음에도 억측 주장만 한다
자신의 이익 외 보이지 않을 수 있다
절차를 알려줘도 무시하고 자신이 원하는 답변을 얻으려 한다

객관적 진실은 왜곡될 수 없다
신문고, 청원 24시, 최고 게시판, 두 번째 게시판, 청, 이제 행정부 게시판까지……
무엇을 원하는지 답변을 요구해서 절차를 안내하고 방법을 알려주었으나 자신의 고집인가?
자기 생각을 이야기하고 방법을 물어보면 답을 찾을 수 있으련만……
단락이 진정 화재 원인인가? 저융점 금속과 융착되었을 때
상대 금속의 융점이 낮아지는 점, 동영상 촬영 시간 등을
종합하였더라면 설득력 있었으려나……
자연의 이치나 순리는 거짓이나 위트로 덮을 수 없는 것을……
제시된 자료는……

그른 것을 옳다고 말할 수 없다
그른 것은 그른 것이고, 옳은 것은 옳다
이 진실은 변할 수 없다

하지만 의견에는 차이가 있을 수 있다
해석의 차이가 있기에 개인별 견해차는 있다
주장과 논리 그리고 입증하면 진실이 되고
주장과 논리가 그르고 타인이 입증해 주길 바란다면 그것은 진실에서
멀어질 수 있다

절실하다면 정확한 방법을 찾아야 하고
그것이 객관성과 타당성을 입증하면 진실이 된다
하지만 타인을 신뢰한다고 그 결정만으로 자신의 주장을 하는 것은
다툼에서 한 없이 부족하다
진실은 잠깐의 눈속임으로 가릴 수 없고, 진실은 반드시 세상에
나온다
논리와 객관적 사실 그리고 과학에 근거한다면 신뢰할 수 있다
단순한 입증 없는 주장은 사실일 수 있겠으나 진실일 수 없다

그대 진정 진실로 승자가 되고 싶다면 뛰어라!
논리와 주장이 일치하고 과학적으로 입증할 수 있는 증거를 찾아
뛰어라 그리하면 길이 보이고 열릴 것이다.

正道?

무엇이 정도인가?
그저 바른 것이 정도인가?

아첨으로 포장하여 매무새 나는 것이 정도인가?
황무지에 비단을 깔아 놓고 걷는 길이 정도인가?

가시밭길을 걸어도 갓끈을 묶고 도포를 여미는 자의 발걸음은
절개가 곧은 선비의 정도인가?

비단옷과 사무 관대를 갖추고 평탄한 비단길을 걷는 자의 발걸음이
정도인가?

바른길이 아니라면 들이지 말고
옳은 길이 아니라면 동하지 말고
아첨하는 것이라면 취하지 말고
아부하는 것이라면 평하지 말고
행복의 길이 아니라면 행하지 말고
희망의 길이 아니라면 꿈꾸지 말고
정도의 길이 아니라면 걷지도 말라

모든 이가 옳다고 하는 길이 바른길이 아닐는지?
그른 것을 그르다고, 옳은 것을 옳다고 바로 믿는 것이
정도가 아닐는지?

동전

길거리에 뒹구는 동전.
주인을 잃은 건가, 주인을 떠난 건가?

제 몫을 다하다 다른 이를 만나려 거리에서
또 다른 이를 만나기 위해 기다리나?

동전은 여기저기 탐험하는 여행자처럼
이 사람 저 사람과 만나 따듯한 온정을 나누며

주머니, 지갑, 저금통, 시원한 금고 등 여러 곳을 여행하며
많은 인연을 만들고 변함없는 모습을 보여준다

변함없는 가치, 변함없는 모습, 초지일관이다
사회상규도 정도를 걷고, 진심을 내놓으며, 바른길을 걷는다면 행복한
대한민국이 되리라~~~

최선의 방법

힘은 근육이 단단하고 근력이 좋은 거다
권력은 권리와 힘이 있는 거다

남용이란 일정한 한도를 넘는 거다
겸허란 스스로 낮추고 마음을 비우는 거다

노력은 목표를 위해 몸과 마음을 다하는 거다
옳음은 사리에 맞고 바르다는 거다

게으름은 일하기 싫어하는 태도나 버릇인 거다
부지런은 매사에 꾸준히 움직이고 탐구하는 거다

최고는 그 분야에 권위 있고 거대한 탑인 거다
성공은 목표를 이루고 환한 미소를 갖는 거다

성공을 위해 최선의 방법으로 마라톤하는 거다
난 쉼 없이 연구하고 뛰며 창의를 찾고 있는 거다

나의 현재 목표를 위해 오늘도 최선을 다하며 분주하게 움직여 본다

초심

바람은 흔들리지만, 그릇되지 않는다
여기저기 유람을 즐기지만, 그물에 걸리지 않는다

세상만사 어울려져 흥겹게 춤을 추게 한다
바람은 온 듯 아닌 듯하지만, 그대를 흔들며 알린다

정직과 바람은 사뭇 다른 것 같지만, 많이 같다
올바른 생각과 행동이 멈춤 없는 것과 같다

정직은 곧고 청렴하며 두려움이 없고
바람은 오락가락하지만 그름이 없다

촘촘한 그물이라도 정직을 잡을 수 없고
튼튼한 그물이라도 바람을 가둘 수 없다

정직은 나를 우뚝 서게 하지만 바람은 나에게 겸손을 알려준다
겸손 없는 자만은 방종이 될 수 있기에 바람처럼 그 길을 걷는다

그것이 나를 나답게 만들고 초심인 것을……

순수함

하늘에서 내려주는 선물은 좋다
답답함도 화~악 날려 보내고 새로운 맘이다

케케묵은 먼지도 시원스레 하나 되어 시내로 강으로 흘러간다
순리를 거스르지 않고 높은 듯 낮은 듯 겸손하게 흘러간다

유리창에 흘러내리는 빗방울은 미끄럼타듯 주욱 흘러내리며 순리에
적응한다
때론 분을 못 이겨 거세게 화를 내며 벌떡 일어설 때도 있다

갈증을 해소하고, 가뭄을 해소하며 촉촉이 앉는다
무엇을 보고 무엇을 가리려 하는지도 알고 있다

깨끗함이 돋보이며 순수함이 흐려진 때도 있다
흙탕물이 탁하게 보이지만 오염은 없다

시간에 흐름속에 청명하고 맑은 모습으로 보인다
탁하고 흐리게 보일지라도 순수함은 잃지 않는다

취중천국

네가 나와 하나 되어 천국을 이루도다
너와 나는 진실로 대화하며 만담을 나누도다

너는 나를 동경하지만, 나는 너와 함께하도다
네가 나를 불러 우정을 논하며 함께하자, 운을 띄우도다

너는 이제 내 안에 있으며 감언이설로 용기를 주도다
그것이 객기인지, 만용인지 알 수 없도다

슬며시 나를 뜨겁게 달구며 천국을 만들며 흔들도다
너에 흠뻑 취함에 대로가 골목길처럼 느껴지도다

네가 나를 통제하려 너의 가벼움을 속삭이도다
나는 너에게 의지하건만 너는 나를 외면하도다

너와 나는 하나되 천국이로세
나는 너를 취하고 너는 나를 벗 삼아 흥에 젖도다

겸손이란?

긍정처럼 맑아지는 보약은 없다
너그러움처럼 넓은 마음은 없다

용서보다 더 큰 선물은 없다
겸손보다 더 좋은 만남은 없다

시기처럼 나를 작게 만드는 것은 없다
상대를 깎아내리고 내가 높이 올라갈 수 없다

상대를 존중하는 만큼 나도 존중받는다
옳고 그름처럼 바른 구별은 없다

겸손은 굴복이 아니고 너그러운 아름다움이다
나를 낮추고 상대를 예우하는 것은 선비의 예이다

새벽이슬

소리 없이 꽃잎 위에 살며시 내려앉는다
꽃잎을 크게 아름답게 보이게 하는 사랑이어라

너의 고운 얼굴에 촉촉한 미소를 전한다
맑고 맑은 미소는 온 세상 행복이어라

맑은 너를 보며, 하얀 마음을 품으며
보석처럼 아름답고 유리처럼 맑은 큰 희망이어라

맑고 순수한 자태는 핑크빛 사랑으로 속삭인다
핑크빛 영롱한 사랑은 세상의 큰 아름다움이어라

방울방울 맺힌 행복은 아침 노래가 되어 퍼진다
퍼지는 행복의 운율은 멀리멀리 온 세상 평온함이어라

이런들 어떠하리

이런들 어떠하리 저런들 어떠하리
만수산 드렁칡이 얽혀 산들 어떠하리……

세상은 함께 어우러져 사는 세상이다
얼토당토않은 말에 얽혀 산들 어떠하리

백성의 머슴으로 산들 어떠하리
나는 머슴으로 살아도 내자는 정경부인이요,
아들, 딸은 사대부 가문의 자손인 것을……

얼토당토않은 말로 다른 이들을 괴롭히는 사람들과 부딪친들
어떠하리
너그럽고 넓은 마음으로 용서하며 품으면 그뿐인 것을……

상전인 양 자신의 주장이나 이익에 우선한 이들과 한 나라에
같이 산들 어떠하리
이렇고 저렇게 사는 세상!
멋들어지고 맛깔나는 진수성찬을 맛보는 것을……

시기와 헐뜯음이 있은들 어떠하리
시원하게 웃으며 구렁이 담 넘듯 넘기면 그뿐인 것을……

허공을 가르고 사라지는 담배 연기처럼 지나가리
시련은 나를 성장하게 하는 동력이고
극복하며 학습하는 것은 자아 성찰 과정이다

넓은 도량

희로애락은 내가 느끼는 것이지
어느 누가 나를 평가하는 것이 아니다

자신의 척도만큼 전진 했을 때 만족감을 느끼는 것이 바로
성취감이고 행복이다

걸림돌이 생기고 오르막이 만들어진들 넘으면 그만이고,
험한 길을 걷는다 해도 바른 마음으로 걷는다면 평탄 대로를 걷는
발걸음이다

누가 딴지를 걸어도, 시시비비를 가리자 대들어도 정도를 걸으며
흔들리지 말자
험한 험담을 받아도 사실을 왜곡해 깎아내려도 미소로 넘길 수
있는 도량을 품자

반감은 또 다른 반감을 부르고, 시기는 또 다른 시기를 부른다
이해하는 넓은 도량을 품고 너그러이 보자 역지사지 아니던가?

청정한 사랑

소리 없이 내리는 물방울이 아름답다
투명하고 맑음이 영롱하게 빛난다

묵은 설움을 시원한 미소 되어 날아간다
하나둘 촉촉하게 스며들며 사랑을 속삭인다

투명함이 가림 없이 순수한 모습으로 다가온다
영롱함으로 볼에 앉을 때 진정한 향기를 풍긴다

두 볼에 앉은 사랑은 향기를 풍기지 않으며
빛을 비춰도 발광하지 않고 내면의 향과 빛으로 품는다

맑고 투명함은 비할 길 없으며 자체로 영원하다
온 세상의 청정한 사랑과 행복은 그지없어라

아침의 여유

아름다움은 그 자체로 빛이 나며 풍기지 않고
시기하지 않으며 내면에 온유함을 지닌다

용기는 우직스럽지만, 섬세하고 한 없이 부드러우며
아첨은 부럽고 달콤하지만, 비수가 된다

아부는 그른 것 같기도 하지만 솜사탕처럼 보이며
조언은 교훈이 되어 나를 발전시키지만, 당장은 쓰다

겸손은 덕목이지만 지나치면 건방져 보이며
당당함은 자신이 넘치고 크게 크게 보이게 한다

검소는 세상을 살면서 하나의 필수품이며
과욕은 자신과 주변을 힘들게 하며 실패를 낳는다

목표를 세워 달리는 것은 자신과 싸움이며 수행이다
현실에 노력 없는 결과 없고, 계획 없는 성공 없다.

오늘도 힘차게 희망을 열어 달려본다

하늘

하늘은 언제나 행복해 보인다
맑고 환한 웃을 선물 하며 더불어 즐겁다

밝고 높은 해 맑은 얼굴로 세상 모든 이를 맞는다
때론 시련에 희미하게 보일지라도 그 자리에 있다

우직하면서도 미련한 모습을 보이기도 한다
힘들고 아파도 스스로 표현하지 않는 바보처럼...

넓게 크게 대지를 포근하게 품지만 쓰라림도 있다
무던히 포옹하고 아끼며 사랑으로 치유한다

때론 뜨거운 태양을 품으며 따듯함을 선물하고
때론 차가운 얼음을 품으며 차디찬 슬픔을 준다

하늘은 아름다운 별들의 쉼터이기도 하고
한없는 그리움을 품고 고요하게 자리를 지킨다

하늘은 아버지와 같다
힘들고 슬퍼도 표현하지 않으며 세상 모든 것을 품고 아울러
사랑의 꽃을 피운다

안전이란?

안전이 안전한가?
위험으로부터 슬기롭게 이겨내는 것이 안전인가?

안전은 평온할 때 평온을 유지하는 것이지
억지로 평온을 지키려 하는 것은 아니다

모두가 평온한 생활, 미소가 찾아드는 생활
그것이 안전이고 행복이다

안전을 지키려는 자 안전을 누리는 자
모두 같은 목적으로 오늘을 열어 마라톤어가 된다

마치 릴레이처럼 쉼 없는 움직임 속 아우성처럼
안전은 뒤로한 채 저마다의 목적을 위해 달린다

쉼 없이 달리는 것이 타인에게 불편함을 초래하여도 모른 채
묵과하며 제 발길을 재촉한다
우린 시대를 살아가며 서로 배려를 학습하지만,
그것은 책상머리일 뿐 현실은 뒤로 숨는다

안전은 언행일치가 되어야 하고 배려가 함께할 때 비로소
우리에게 미소를 선물한다
오늘이란 큰 선물을 받아 안전을 곁에 두고

모두 함께 행복한 대한민국! 오월의 끝자락 수요일 아침 외근 중.....

나는 나를

희망이 있다는 건 생존한다는 신고이다
행복을 느끼는 건 뜨거운 사랑이 있다는 거다

용기가 있다는 건 새로운 도전을 한다는 신고이다
목표가 있다는 건 쉼 없이 뛰고 있다는 거다

미소가 있다는 건 넓은 도량으로 품는다는 신고이다
양보가 있다는 건 경험과 미덕을 품는다는 거다

초점 없는 시선이 있다는 건 깊게 사색한다는 신고이다
깊음이 있다는 건 진정을 진심으로 보여준다는 거다

검소하다는 건 아끼는 것이 아니라 잘 쓴다는 거다
겸손하다는 건 침묵이 아니라 쉽게 알려주는 거다

칭찬하는 건 그대와 더불어 나를 돋보이게 하는 거다
상대를 헐뜯는 건 나를 초라하게 만드는 거다

슬기롭게 산다는 건 도리를 알고 순리대로 사는 거다
가장 좋은 건 내가 나를 지키며 바로 산다는 거다

샘솟는 희망

비가 밤새 창문을 두드린다
봄을 재촉하는 듯하다

여름을 맞으려 대지를 청소하는 듯하다
비를 가르며 나는 저 새는 메가 그리 바쁜지

초목을 깨우며 사랑을 속삭인다
양팔 벌려 크게 맞으며 행복을 품는다

봄비는 초목에 활기를 넣어 사랑을 본다
둥지의 아기 새는 살며시 얼굴에 미소를 배운다

하늘이 태양을 살며시 숨기고 봄비를 선물하는 것은 세상을 밝게
넓게 바라보라는 것이겠지?

쉼 없이 샘 솟는 희망처럼 환희를 나눠준다
희망과 실천은 나의 목표를 이루게 한다.

숙제

인생에 꿈이 있는 한 행복은 멈추지 않는다.
꿈꾸는 이 살아있는 것이다.

꿈은 사람을 활기차게 한다.
목표를 설정하는 것 역시 희망과 꿈을 품는다.

잠깐은 수그리거나 웅크릴 수 있겠지만, 그것은 좌절이나 포기가 아니다. 더 큰 희망과 꿈을 위해 도약을 준비하는 것이다.

꿈을 향해 움직인다는 것은 활기 넘치고 성취한다는 것이다.
도전하고 전진하는 것처럼 멈추지 않는 한 실패는 없다.

행복은 누구나 가지려 하지만 곁에 있다.
곁에 있는지 모르고 보이지 않는 행복을 좇는다.

그것이 무언지 알지 못하면서.....
꿈과 행복은 늘 곁에 있고 느끼지 못하나 순수하게 보느냐, 멋지게 생각하느냐, 하는 숙제 아닌 숙제가 우리에게 있다.

난 오늘이란 선물을 받아 희망의 봇짐을 메고 행복을 따라 전진 또 전진한다.
그것이 행복이고 나를 찾아 드는 희망이고 미소이다

출근길 버스 안에서.....

목표

시간은 쏜 화살처럼 내 곁을 스쳐 지나가고 있다.
잡으려 해도 잡히지 않고,
잠시만 기다려 달라고 해도 쉼이 없으며,
멈추려 해도 멈춰지지 않는다

분주하게 움직이는 일상이 무언가에 쫓기는 듯하다.
그냥 무념무상으로 무아지경에 빠져보는 것도 좋으련만,
성격 탓인지 옳고 그른 것을 분리하고 정도를 걸으려 한다.

희망과 행복이 있기에 목표를 향해 전진 또 전진한다.
나 하나만이 아니라 우리 더불어 사는 세상에서 경쟁하며 제 몫을
다하려 안간힘을 쓰는 듯하다.

지금, 이 순간 과거를 보며 회고할 시간은 아직 멀다
계획한 목표가 있고 조금씩 다가가고 있기에 그렇다.
누구나 목표가 있고 계획이 있기에 열심히 일하며 활동하는 것이다.

오늘도 즐겁게 미소 지으며 힘차게 달려보자
자신을 믿고 격려하며.....

봄의 향기

봄은 푸르름의 원천이다
녹음이 아우성치며 서로를 뽐낸다

싱그러움은 각고의 힘겨운 경쟁이다
생명수를 올리고 양팔 벌려 손짓한다

환한 얼굴을 내밀고 벌과 나비를 불러 베풀고
내어 줄 것은 내어 주고 들일 것은 들인다

봄은 참 현명하다
할 일을 하고 일부 결실 아닌 결실을 여름에 준다

품으며 베풀고 들이며 아픔은 멀리한 채
희망차고 푸르른 자태를 베풀며 사랑하라고 한다

내리쬐는 햇볕을 가려 그늘을 만들어 주고
훨훨 나는 그대의 시원한 보금자리를 내어준다

그것이 봄이고 우리네 인생이다
화려함보다 생기 넘치는 오늘이기를.....

진보와 보수

進步가 좋은 것인지?
保守가 좋은 것인지?

정해 놓고 선택할 여지가 있는가?
우리 좋은 전통은 보호하며 답습하는 것이 맞고,
새롭고 창의적인 것은 혁신하는 것이 맞다

무엇이 옳고 그름을 판단하는 기준이 아니다
옳고 그름은 현실과 미래가 다르다

지금은 지극히 옳다고 지지받지만,
미래에는 지탄을 받고,
지금 그르다고 하지만 미래에는 좋은 선택일지 모른다

중요한 것은 현실에 얼마나 충족하고 미소 짓는 것이다
현실에 미소가 미래에도 행복 가득한 결실이 되어야 한다

현실에 정도를 걸으며 다수의 지지를 받는 것은 우리들 삶에
해결되어야 할 것을 푸는 것이다

言行壹致 되어야 하고,
參思壹言 하여야 하며,
己所不欲 勿施於人 이어야 한다

참되고 진정 이로운 물은 향기가 나지 않고
진정 빛나는 밝은 빛은 눈 부시지 않는 빛이다

왜? 그것이 대한민국에서 살아가는 이유가 되어야 하니까!
모두가 행복했으면.....

어느 일요일 잠깐의 낙서를 즐기며.....

잠깐의 낙서

萬物靜觀 皆自得
만물을 고요히 바라보라 스스로 깨달을 것이다.

眞水無香 眞光不輝
참된 물은 향기가 없고,
참된 빛은 빛나지 않는다.

사람 무엇보다도 겸손이 미덕이고,
화합이 무엇보다 소통과 배려가 미덕이다.

자신의 멋들어진 부분만 보이려 하지만,
보이지 않으며 진실을 알리는 이가 진정한 승자다.

보수와 진보가 무엇인가?
어찌 보면 같고, 어찌 보면 사뭇 다르다.

변하지 않는 것!
진실과 행복이다.

여유

가을도 아닌데 하늘이 맑고 높다
갈 하늘보다 청명하지는 않으나 포근하다

하늘을 훨 훨 나는 저 새는 부지런도 하다
둥지를 지키며 행복을 찾느라 분주한가 보다

하늘에 닿으려 고개를 길게 내민 초목은 앞다투어 하늘에 오르려
한다
여기저기서 응원하는 아카시아 향기는 대지 위 숨 쉬는
모든 이에게 고루 사랑을 전한다

그 향기에 민들레는 활짝 웃으며 홀씨 되어 비상할 준비를 마치고
희망을 크게 크게 보여준다

푸르름이 가득하고 생명은 숨 쉬며 태양은
이른 아침부터 활짝 웃는다
큰 미소로 고루고루 희망과 포근함을 선물하며 하루를 연다

오늘은 어떤 행복이 기다리고 있는지 가슴 가득 부풀어 아침 햇살에
편승 해 본다
오늘도 긍정의 행복은 나를 맞으려 성큼 다가온다

독백

봄의 몸부림인가
쌀쌀맞게 부는 바람은 얄궂다

아쉬운 듯 심술 난 듯 화풀이하듯 한다
세상은 시간의 흐름에 편승하여 즐긴다

고요하지만, 전쟁터이고, 전쟁터 같지만 평온하다
알쏭달쏭한 흐름 속에 하나의 목표를 향해 달린다

살짝 찌푸린 구름 뒤로 눈물을 적시고
환하게 웃는 태양은 잠시 머뭇거리며 양보한다

오르막과 내리막은 엇갈리는 듯하지만
언제나 같이 있고 같은 맘으로 서로에게 안긴다

하나만으로 채울 수 없듯이 함께하고 나누며 넉넉함을 배우고
아름다움을 찾아간다

항상 곁에 있는 포근함과 그 무엇이 대신 할 수 없는 그것!
우린 그것을 위해 오늘에 충실하고 쉼 없이 뛰며 생각한다

베풂과 선도는 확연한 이치인데 공존한다
상대가 나를 이해하고 함께할 때 그것이 더 커지는 것은 아닌지?
배려는 상대가 있어야 하고 전달되는 마음을 헤아릴 수 있다
공허하고 소리 없는 메아리는 독백일 뿐이다

봄의 여유

요즈음은 무력감이 느껴진다
봄을 타는 건지, 게으름의 엄습인지

조금만 움직이면 무겁고 괜스레 짜증이 고개를 내민다
아마도 봄이 주는 낭만인지 모르겠다

살며시 살며시 여름을 맞으라는 예지를 주는 것인가?
거리에 피어나는 아지랑이는 봄이 떠나기 싫은 듯 몸부림친다

파릇파릇 돋아나는 새싹들 아우성은 즐겁고 행복한 비명으로 들린다
금방이라도 결실을 볼 듯 하루하루가 다르게 경주하듯 크게 크게
기지개를 켠다

하늘을 훨훨 나는 저 새들은 둥지를 만드느라 분주하고 사랑으로
결실을 꾸미려 한다
부지런함이 행복을 만들고 찾아드는 행운은
우리 모두를 미소 짓게 한다

비 오는 날 일직 근무 출근길에.....

화재조사관은?

잠깐의 짬 여유를 즐겨본다.
실적 없이 분주하고 딱 부러지는 답이 없다

한편으로는 답답함이 자리 잡고,
소소하게 풀어가는 성취감도 있다

직업병인가?
현장에서 조사한 내용으로 다투는 이들을 볼 때 힘들다
잘못 해석한 이, 자칭 전문가란 사람들의 잘못된 조언이 힘든 이를 더 힘들게 한다

영리를 위해 일을 수임하고 의견서나 감정서를 작성하지만, 그래도 정도를 지켰으면 하는 바람이다

경제적 이익을 위해 엉뚱한 조언을 하는 이
자기를 합리화하기 위해 포장하는 이

과실을 들어내지 않으려 숨는 이
영리를 목적으로 사실을 왜곡하는 이

화재로 인한 다툼은 주장과 입증이 승패를 좌우하지만,
조언자를 잘못 만나거나 해석이 달라지면 큰 낭패를 본다

중요한 것은 과학성, 기술성, 객관성, 타당성 등이 있어야 한다
화재 소송을 하는 이들 많이 뛰고 많은 정보를 수집하여 객관성을

입증하여야 한다

화재조사관은 과학의 힘을 빌려 객관성을 확보하여야 하고, 쉼 없는 학습과 흔들리지 않는 공정력을 잃지 말아야 한다.

그것이 국민 피해를 최소화하는 것이다.

대중교통의 여유

분주하게 움직여 김해에서 전철 타고 부산으로 이동한다
아침부터 걷고 전철 타고 비행기에 몸을 실어
부산소방학교에 가기 위해 분주하다

시간을 넉넉하게 미리 준비하는 나이지만 그래도 대중교통의
여유로움과 마음의 여유를 잠시 즐기며 차창 밖 경치를
감상할 수 있는 호강을 누린다

13년째 무탈하게 나를 태워주고 있는 애마와 함께 매일 분주하지만,
출장길은 애마도 잠시 쉬게 하고 나는 대중교통을 이용하려
노력한다

잠시 생각도 하고 핑곗김에 걷는 운동도 하고 여유를 한 것 누려본다
바쁜 일 잠시 잊고 느긋한 생각으로 전철 의자에 앉아 있다

오늘은 맑고 행복한 이들과 만나 어떤 추억이 만들어질까?
벌써 맘도 살며시 설렌다

서로 의견을 주고받으며 또 하나의 지식과 상식을 배우는 하루가
되었으면 희망해 본다.

오늘도 긍정으로 큰 행복을 맞으며 즐거운 미소와 함께한다.

버스의 운치

오늘은 날씨가 제법 쌀쌀하다
버스에 사람들도 제법 옷을 여미는 모습이다

의자에 앉아 눈을 감아 명상에 드는것 같다
이른 아침 피곤함이겠지?

조금 일찍 버스를 타고 출근하면 이런 여유를 맛본다
흔들리는 버스에 흥겨워 나의 몸도 흔들 흔들 춤을 춘다

차 창너머로 보이는 이름 모를 소담한 꽃이 방긋 웃는다
출근길 편안하라고 함박웃음을 보여주며.....

오늘도 즐겁고 유익한 시간 만들어 보자

포근함

누군가를 기다린다
아무런 표정 없이 기다린다

누군가 편안한 안식을 위해 기대어 앉겠지
넓고 넉넉함으로 기다린다

허전하고 쓸쓸해 보이지만
빈 의자는 덧없는 평온함으로 기다린다

빈 곳이 행복으로 가득 메워질 때까지
고단하고 힘든 이 잠시 평온할 수 있도록 맞는다

딱딱한 목제 벤치가 거칠지만
베푸는 마음은 한없이 포근하여라

때론 무뚝뚝 하지만 때론 솜처럼 포근하고
지친나늘 살며시 감싸 안으며 사랑을 전한다

나는 슬며시 빈 의자 품에 몸을 기댄다
지그시 눈을 감고 잠깐 낭만에 젖어본다

신중

정도를 걷는다.
옳다고 생각하는 것은 행하라
그른 행동은 애당초 하지마라

그르게 하고 후회한들 되돌릴 수 없다
바른 마음이 올바른 길을 걷게한다

문득 어느 식당 벽에 걸린 글귀가 생각난다
參思壹言 參思而行
세번생각 하고 말하고, 세번 생각하고 행하라

신중하게 생각하고 말하며,
올바르게 행동하란 뜻으로 생각든다.

어느 봄날 공주에서.....

옳고 그름

옳음이 지지가 되는가?
그름이 지지가 되는가?

진보란 이름으로 묻히는 것은 아닌지?
보수란 이름으로 갇히는 것은 아닌지?

가끔은 헛갈린다.
일부는 망각하고 일부만 생각하는 것은 아닌가?

보이는 것이 다는 아니지만,
보이지 않는 것은 관리되지 않는다.

우리네 인생에 흑과 백은 분명한 구별인 것을⋯⋯

순수함이 아름답다

아름다운 자태는 꽃길이 아니어도
땅에 벚꽃이 탐스럽게 얼굴을 내민다

아름다움은 두 팔 벌린 꽃가지가 아니어도
방긋 웃는 모습은 비할 길 없어라

내가 웃는 곳이 행복이 머무는 곳이요
미소가 머무는 곳에 희망이 가득하여라

작고 가냘프지만, 아름다운 모습은 강하여라
형제자매가 어우러져 멋들어진 사랑을 뽐내어라

수술 수술이 한들한들 춤을 추며 사랑을 알리어
보는 이 얼굴에 한가득 사랑을 선물한다

자리가 아름다움을 보여주는 것이 아니라
나의 눈에 보인 순수함이 한층 더 아름다워라

풍기는 향기

화려함은 내면을 감추려 포장하였느냐?
내면의 향기를 보여주려 겉으로 드러냈느냐?

보이는 것으로 아름답고, 풍기는 향기는 은은하다
소담하면서 화려하게 내면의 향기를 보이려 애쓰나?

보는 이로 하여금 다시 한번 보게 하는구나.....
오늘은 멋들어지고 화려한 하루가 되겠지?

소박한 향기

소담하지만 풍성하고,
빈틈없는 자태를 뽐내며,

봄 햇살과 대지의 기운을 모두 누리며,
넉넉함의 미소가 아름답네

한 송이 잡초로 보는 이 있겠지만,
그대는 내면의 향기를 지니고, 겉으로는 겸손함을 지닌 아름다움이 보이는구려

우리네 인생도 소박하고 검소하며 풍기는 향기보다
지니는 행복과 베푸는 사랑이 더 큰 것을 알고 있다오.

소담하지만 큰 미소를 선물할 줄 알고,
크지 않지만 나눌 줄 안다오 민들레처럼.....

화재조사관의 고뇌

화재 현장에서 중요한 부분이 발화지점이다.
발화지점에 오류가 있다면?, 상충하기 싫어서 미상이라면?.....

한 사람은 건물 외부가 발화지점으로 결론짓고,
한 사람은 건물 천장에서 연기 목격, 동영상을 확인하고 발화지점을 흐렸다.

동영상이 있음에도 잔류한 증거로 발화지점과 원인을 추론했다.
당사자는 건물 외부가 발화지점이라는 내용과 증거를 신뢰하고
소송을 진행했다.

소송 당사자는 곤란해지거나 피해가 가중된다.
건물 내 화재이냐, 건물 밖 화재이냐에 따라
가해자, 피해자 달라지고 바뀌는 해석이 나온다.

화재조사관은 공정력이 있거늘 상충하는 견해에 민원이 두려워
미상으로 결론짓는다면 더 큰 피해와 혼란을 가중할 수 있다.

진정 알 수 없었다면 끝까지 최선을 다하고 현장 상황을 사실
그대로 지면 위에 옮겨 놓는다면 한 가닥 구제의 희망이 있을텐데.....

공정력이란 방패를 이용해 상충 의견 뒤로 숨으면 안 된다.
안타까운 내용을 볼 때 화재조사관의 한 사람으로서 마음이 무겁다.

피해액이 적지 않은 현장을 놓고 소송으로 다투는 내용과 문서,

동영상을 보니 참으로 안타깝다.

그 또한 그이의 복이겠지?
참으로 안타깝다. 有口無言의 입장이라.....

작은 소망

나는 대한민국 소방관입니다.
바른길을 걷고, 같이 하며,
상대방을 배려하는 마음으로 따듯하게

오늘도 대한민국의 안전을 지키며.....
묵묵히 나에게 주어진 소명을 수행하며 전진하는.....

나는 부족하기에 배우며 노력하고,
지식을 쌓으며 나누려고 합니다.

늘 미소를 머금기 위해 오늘도 희망을 안고
사랑을 실천하며 대한민국 안전을 위해!

작은 사람이지만 긍정으로 뛰고 있습니다.
오늘도 즐겁고 유익하게 스스로 화이팅을 외쳐봅니다.
알라만다처럼~~~~~

즐거움이란.....

분주하게 움직이는 이
새벽부터 한가롭게 시간을 즐긴다

여유와 악수하며 하루를 열어 차분한 미소를 짓는다
이른 새벽 살며시 옷깃을 여미어도 스며드는 신선함은 오늘이 주는 즐거움이다

슬며시 피곤함을 이기며 첫차에 몸을 싣고
다가올 성공을 위해 잠시 여유 있는 미소를 머금어 본다

분주하게 걸어도 대성은 찾아들지 않지만, 하나둘 쌓으며 구슬땀 보람을 느끼며 성공을 만든다
늘 분주함에 손에는 굳은살 꽃이 피어나며, 얼굴엔 세월이 함께하지만, 나에겐 인생의 훈장이다

그 누구보다 성실하고 열심히 살았고, 지금도 거짓 없는 진실로
한 걸음 한 걸음 내디디며 행복 탑을 쌓아 올리며 달려 본다

아직은 미완성이지만 쉼 없이 쌓고 쌓으면 행복 탑은 그 무엇보다 넓고 높게 우뚝 솟아 큰 함박꽃처럼 함박웃음이 내 것이 된다

출근길 버스 안에서.....

하늘의 별이 된 그대여……

그대의 거친 숨소리는 생명을 구하는 소리인가
쉼 없이 뛰고 뛰어 도착한 곳이 그대의 낙원인가

쉼 없는 사명감으로 보듬은 사랑의 숭고함인가
청명한 하늘 반짝이는 별은 그대의 벗인가

밤하늘 멋진 은하수 되어 빛나는 그대의 얼굴
세상 고뇌한 이들을 보며 행복하게 지내라고 노래하며

멀리멀리 고독한 여행을 하며 놓아둔 사랑은
우리별에 미련 없이 하늘에 별이 되었구려

그대가 선택한 그 길은 영원히 영원히 꺼지지 않는 등대가 되어 세상을
눈부시게 비추리

진실은…

두려움에 뒤로 숨고,
비난이 싫어 진실을 외면하며,

용기가 없어 뒤로 빼고,
귀차니즘에 진실을 왜곡하며,

가해자가 누구라도 상관없고,
때론 벙어리처럼 진실을 말 못 하고,

진실을 알면서도 모른척하고,
뭐가 뭔지 헉 깔리고 있지만, 베일에 가려진 진실은……

화재에 울고, 제도에 울고, 왜곡에 울고……
억울한 사연을 들어보면 저마다 이유는 있다

무엇이 옳고 그른 것인가?
답답한 마음에 긁적여 본다.

어디가 포도청인가?
누가 진정한 판관인가?

이슬

은하수는 꿈을 꾸고 그대는 소리 없이 내려
송골송골 맺힌 영롱함은 수정과 같다

가벼운 발걸음으로 내려와 내 곁에 앉아
슬며시 내 품에 기대어 포근함을 느낀다

청명함으로 맺혀 해맑은 미소를 보여주며
푸른 생명 귓전에 사랑의 노래를 전한다

봄이면 생명을 깨워 북돋아 주고
따스함으로 푸르름을 알려준다

여름이면 활력을 주며
건강함을 선물하며 꽃을 피워준다

가을이면 결실로 영글어 풍성하고
꽃잎에 스며 아름다운 색동옷을 선물한다

겨울이면 살며시 내려앉아 옷을 만들어 입으며
맑음으로 단장하고 빛을 내며 아름다움을 뽐낸다

먼 시선을 달래며 뽀송뽀송 목화 같은 꽃송이
희고 포근함으로 단장하고 나를 맞아준다

소진과 진언

보이는 것만이 진실은 아니다.

뜻하고 있는 것이 모두 잘될 거라는 희망은 누구나 있지만,
현실은 뜻대로 이루어지지 않는다

때론 보이지 않고 소리 내지 않아도 진실은 존재한다
다만 소리 내 표현하지 못할 뿐이다

화재 현장에도 이러한 일들이 있으나 드러나지 않으며,
표현력도 부족하다

소신은 어쩌면 비굴할 수도 있다.
자기의 삶 영역을 위해.....

할 말은 하고 살아야지 않나?

그러나 정의가 반드시 승리하는 것은 아니다.....
참된 소신과 진언이 아름다운 대한민국을 만든다.

평등

평등하다는 것은 공평하다는 것과 같다
어떤 일에 기회와 조건을 골고루 주고
나타나는 결실도 높낮이가 없다는 것이다

법률 앞에 지위고하 없이 평등하며 지위가 같다
돈과 권력 있는 이, 없는 무지한 이 지위는 같다
사모관대와 평상 옷을 입은 이 지위는 같다

개인이 가진 능력의 차이는 있을 수 있으나
주어진 기회는 남녀노소 균등하고 지위는 같다
평등이란 출발은 같으나 결실이 같을 수 없다

논리와 설득력이 부족하다고 진실을 가릴 수 없고
진실 앞에 겸손해야 하고 상대를 존중해야 하며
기회와 변론은 동등하게 주어지고 판단은 같다

평등은 나와 그대를 끈끈하게 하고 미소를 준다
존중하고 배려하며 소통하는 인연이 평등이다
너와 나 사고가 같고 뜻을 함께하며 벗이 될 수 있는
이것이 평등이다

기다림

묵언의 큰 아우성으로 가만히 앉아 기다린다
무엇을 기다리는지 다소곳이 앉아

한곳을 주시하며 기다린다
무언가에 집중하며 목석처럼

시간이 흐르며 함께하자 해도 동요하지 않고
스치는 풍운을 보며 잠시 눈짓으로 속삭인다

찾아올 시간을 기다리며 조급한 마음을 잡아본다
시간은 쉼 없이 세월을 채찍질하여 천리마처럼.....

나는 나의 시간을 뜨겁게 하여 그것을 기다린다
너는 너의 시간을 할애하여 기다림에 편승한다

기다림은 성공의 기쁨을 배로 기쁘게 하고
성취하는 만족은 기다림에서 오는 결실이다

우린 진정한 우리의 봄을 기다리며
좀 더 깊게 좀 더 넓고 높게 소중함을 품어준다

기다림은 크게 크게 희망으로 다가오고
두 볼에는 세상을 담는 행복의 무지개가 찾아든다

소리 없는 말

쉽게 구강 밖을 구경한 말은 천리를 간다
잡으려 해도 잡히지 않고 되돌리려 해도 돌아오지 않는다

조언하는 말은 거칠고 멀게만 들리고
아첨하는 말은 부드럽고 가깝게 들린다

용기를 주는 말은 아름다운 친구처럼 들리고
행복을 주는 말은 사랑스러운 가족처럼 느껴진다

사랑을 전하는 말은 늘 곁에서 미소와 함께하며
희망을 전하는 말은 늘 두 볼에 보조개를 만든다

감싸주는 말은 용기를 북돋아 활력을 주며
스승이 되는 말은 한 번 더 깊게 새기게 한다

가시가 되는 말은 비수가 되어 아프게 하지만
채찍이 되는 말은 방패가 되어 성공을 선물한다

서로를 멀게 하는 말은 흠을 터 잡는 이야기이며
오작교가 같은 힘겨운 충언은 서로를 성공하게 한다

그른 말은 눈덩이처럼 불어나 나를 욕되게 하지만
바른말은 나를 겸허하게 하고 현인으로 만든다

존중과 존경 그리고 칭찬

그대의 높이는 귀중하고 대단합니다
그대의 현명한 생각과 행동을 존중합니다
그대의 성실함과 너그러움은 태산과 같습니다

귓전에 흥겨운 말에는 고래도 춤을 춥니다
현명한 생각은 그대를 현인으로 보게 합니다
가만히 머물러도 그대의 덕과 지식은 빛이 납니다

진정함으로 그대의 소중함을 느끼며 사랑합니다
현자의 마음으로 행하는 그대의 바름을 사모합니다
배려로 베푸는 그대의 심성을 힘차게 응원합니다

그대를 존중하니 나의 마음이 편안해집니다
그대를 존경하니 나의 지식이 조금씩 쌓입니다
그대를 칭찬하니 나의 친구와 지인이 늘어납니다

존중과 존경 그리고 칭찬은 나에게 필요합니다
그대의 성공을 보며 박수치고 함께하면 행복합니다
그대를 존중하고 존경하면 나에게는 어느덧 너그러움이 함께하며
미소가 찾아듭니다

비로소 나도 현인으로 살아갑니다
그대를 존중하면 나에게는 존경이 친구하고
그대를 존경하면 나에게는 벗들이 많아지며
그대를 칭찬하면 나에게는 행복이 찾아듭니다

안개와 구름

순검이 잘못했느냐?
판윤이 잘못했느냐?

방패는 쓰라고 준 것이냐?
창검은 찌르라 준 것이냐?

알이 있어야 닭이 있고,
닭이 있어야 알이 있다.

숨바꼭질 술래가 누구인가?
청수인가? 탁배기인가?

구름과 안개에 가려 진실이 흐려져 보이지 않네
태양이 뜨고 안개와 구름이 걷히면 보이려나?

주인의 판단을 흐리게 하여 혼동(混同)과 같구나
채권이 채무가 되고, 채무가 채권이 되는 현실 같구나.

주말 문득 스치는 생각을 두서없이.....

우뚝 선 나무

나무는 늘 같은 자리에서 서 있다
비가 와도 눈이 와도 바람 불어도 같은자리에 있다

비가 오면 함께 어우러져 부둥켜안고 서 있다
눈이 오면 살며시 흰색 솜옷으로 갈아입고 서 있다
바람 불면 속삭임대로 슬며시 흥에 겨워 춤을 춘다

누구를 기다리는지 망부석처럼 자리에 서 있다
낮이나 밤이나 변함없이 움직이지 않고 서 있다

낮에는 나그네에게 미소를 전하며 사랑을 베풀고
밤에는 홀로 서서 고요함과 포근함으로 안식한다

비바람이 불면 슬며시 편승하여 춤추며 함께하고
눈보라가 치면 두꺼운 흰옷으로 단장하고 서 있다

눈은 나무의 넓은 품에 젖어 들며 소식을 전한다
생명이 숨 쉬고 사랑의 꽃을 피우는 임이 온다고 속삭인다

임을 동경하고 한마음 한뜻으로 변하지 않으며
심지를 굳히고 변함없는 우직함으로 묵묵히 서 있다

나무는 일편단심 님향한 향기와 미소는 한결같다
春夏秋冬 늘 푸른 靑松처럼 根本으로 자리한다

서 있는 나무는 늘 초심으로 사랑을 베풀어 주며
변하지 않는 멋으로 벗과 사랑 그리고 세월과 친구를 감싸 안는다

우리네 인생도 서 있는 나무처럼 변하지 않으며
베풀고 감싸 안을 수 있는 度量 있는 이로 남고 싶다

서두르지 마라

시간이 흐른다고 조급해하지 마라
세월이 흐른다고 서두르지 마라

익어가는 세월은 누구에게나 공평하다
더디고 늦게 숙성된다고 서두르지 마라

출발이 같다고 성취하는 마음이 같지는 않다
준비하고 순응하며 차분하게 편승해도 같다

조금 늦는다고 그르지 않으니 서두르지 마라
급하게 달린들 하루는 너나 나나 공평하다

느긋하게 공들여 완성하는 탑이 높고 튼튼하다
서두르지 말라 서두르면 사상누각이 되고 만다

.

.

.

.

까치는 집을 짓기 위해 수천 번, 수만 번 나뭇가지를 나르고
비바람에 흔들리지 않는 튼튼한 보금자리를 짓는다

취중천국

내가 가는 길은 넓고 곧게 있거늘
너는 왜 흔들리고 굽은 길을 달리는가

나는 바르게 안전 속도로 달리고 있거늘
너는 나의 길을 넘나들며 빠르게 달리는가

내 안에 네가 자리하고 있으니 내가 너를 품었거늘
너와 세상의 우마는 진심을 모르고 흔들리고 있구나

너는 공양으로 안을 채우고 든든하여 바로 가거늘
내가 너를 지켜보니 취중 가무처럼 흔들리는구나

내 안에 네가 객기가 충만하여 용기로 오해하고
그대는 배려하는 너그러움으로 이해하고 있구려

네가 내 안을 지키며 잡는 핸들은 즐거워 춤을 춘다
너는 나를 말리려 하지만 부질없다는 것을 알리오

취중천국으로 단장하고 가는 길에 너는 미소 짓지만
가족과 현실은 한없이 두 볼에 뜨거운 한(恨)을 떨군다

내 안에 네가 있어 판단은 흐려지고 용기는 가득한데
네가 나를 지배하니 나는 꼭두각시인가 하노라

동행

같이 할 수 없지만, 늘 곁에 있습니다
사랑하지만, 내색하지 않으며 마음이 함께합니다

늘 지평선처럼 서로를 동경하고 품을 내어줍니다
늘 수평선처럼 서로를 배려하고 곁을 내어줍니다

당신과 함께 곧고 평탄한 길을 걸으며 봅니다
스치듯 옆에서 멀리 여행하듯 길을 가며 봅니다

가까이서 미소를 지니며 곁에서 사모하며 봅니다
멀어지면 다가와 사랑을 속삭이며 서로를 봅니다

같은 길을 걸어도 같이 할 수 없지만, 늘 함께합니다
멀리 있어도 한곳에 있는 듯 마음이 함께합니다

한 쌍의 원앙처럼 함께하고 지키며 다툽니다
서로를 동경하고 사랑하며 보충하고 함께합니다

우린 세월과 동행하고 익어가며 함께합니다
우린 사랑과 함께하며 행복과 늘 동행합니다

고뇌하고 힘듦도 나와 함께합니다
정도는 늘 내 앞에 곧고 길게 함께합니다

함께하다 보면 선의와 불의는 어느새 벗이 됩니다

우린 늘 함께하며 같은 길을 걸으며 사랑하고 행복을 노래하며 동행합니다

봄비가 살며시 내리는 새벽 흔들리는 버스에서.....
오늘도 즐거운 하루와 동행해 보셔요.

정보 검색

지식을 얻기 위해 책을 보고, 정보를 검색한다.
책을 읽는 것은 어쩌면 만족을 채우기 위한 행동일지 모른다.
책을 쓴다는 것은 내 생각을 알리기도 하고 빗대어 쓰기도 한다.
진실한 내용을 알리기 위한 내용도 있고,
살짝 빗겨 진실을 말하기도 한다.

시, 수필, 소설이 그렇다.
서정적이고 정서적인 내용으로 시를 쓰고 뜻있는 내용을 담고 사회에 던지는 말도 있고, 느끼는 아름다운 감정을 노래하기도 한다.
수필은 어쩌면 진실을 담고 이야기하지만, 살짝 빗대어 미사여구를 사용하기도 한다.
소설은 허구 같지만 진실 아닌 진실, 허구 아닌 허구 등으로 흥미를 엮는다.

이렇듯 책은 자기 생각이나 주장을 쓸 수도 있고,
지식을 담는 도구로 사용하기도 한다.
나는 진실, 허구, 위트 무엇을.....
난 뭇매를 맞더라도 진실과 사실을 이야기하고 싶다.

아마도 그 이유에서 "화재 현장 조사 이야기"를 준비하는지도 모르겠다.
진솔하고 담백하게 현장을 옮기려 하는데 뜻대로 잘 진행되지 않는다.
최대한 쉽게 읽을 수 있는 화재 현장 조사 이야기를 하고 싶다.
누구나 화재 현장에 억울함이 없으면 하는 바람이다.

가을의 度量

소리 없이 내리던 비는 살포시 해님 뒤로 숨고
높고 맑은 구름은 은하수처럼 오순도순 무리를 짓네

푸른 바다에 한땀 한땀 수놓듯 맑은 하늘에
청명함을 수놓고 해 맑은 미소를 전한다.

오솔길 옆 코스모스는 한들한들 지니는 멋과 풍기는 향기에
질투하는 잠자리 분주하게 오간다네
살랑살랑 부는 갈바람 지혜(智惠)를 전하듯 다가와 풍성하고
덧없으므로 너그러이 현인(賢人)을 만든다네

중추(仲秋)의 풍성함과 현인(賢人)의 도량(度量)은 대인(大人)이요.
시기(猜忌)는 속인(俗人)의 맘(心)으로 앞을 보는 소인(小人)이요

그대 모름지기 일신(一身)의 안좌(安左)를 원한다면 정도(正道)를
걸을지어다
가을 햇살은 너그러움과 풍성함으로 넓은 도량을 품고 덕담(德談)을
나누는 정도를 일러준다.

평범하게...

희망을 품으세요
소망이 이루어질 것입니다

사랑을 나누세요
마음이 넉넉해질 것입니다

행복을 만드세요
얼굴에 미소가 찾아들 것입니다

겸손을 품으세요
많은 사람이 곁에 머무릅니다

검소함을 지니세요
화려하지 않지만 누추하지도 않습니다.

꽃기린

몇 년 전 지인이 선물 해 주신 꽃기린이다
고난의 깊이를 간직하다

꽃이 기린을 닮았다고 하여 꽃 명이 꽃기린이다
가시가 많고 힘이 없는 듯 마치 고무처럼 흔들린다

흔들흔들 약하게 느껴지지만 가시가 있어 풍기는 멋은 강하다
강한 것일 듯하면서도 사철 꽃을 피우며 아름다움을 뽐낸다

사철 푸르고 꽃을 피우며 고난을 아름다움으로 보여준다
시간이 흐름에 편승하듯 꽃잎을 떨구며 순리에 순응한다

낙엽을 떨구고 새순을 돋게 하여 사계절 활기를 잃지 않는다
고난이 있어도 늘 미소로 웃어넘기는 슬기로움으로 살고 싶다.

너처럼 고난의 깊이를 아름다움으로 승화시키며,
사랑과 행복으로 미소를 보이며 세상을 품에 담으며 넓게 살자

잡초

꽃으로 보면 한없이 예쁘게 보이고,
잡초로 보면 덧없이 귀찮은 풀이다.

화분 한 쪽에 둥지를 틀어 더부살이하고 있는 꽃
엑사쿰이라고 하는 2년 살이 꽃이란다.

심지도 않고 가꾸지 않았음에도 매년 환한 얼굴로 찾아온다.
미소를 보여주며 꿋꿋하게 자신을 알리고 자태를 뽐낸다.

잠시 반짝 기억하라

무엇을 위해?
언어를 사용하나?

물은 절대 순리를 거스르지 않는다.
자신을 위해 흐리지 않고,
이익을 위해 흐리지 않는다.

위에서 아래로, 높은 곳에서 낮은 곳으로
순리대로 유유자적한다. 그것이 법이다.

법은 사회를 살아가는 우리의 공통된 약속이다.
사람 위에 있을 수 없고, 사람을 다스리는 것이 아니라
우리들의 약속이다.

지킬 수 있는 약속을 하고 지킨다면 진정 아름다울 것인데
약속은 허울이고, 실제는 이익으로 대변하는 약속들.....

안전은 강한 약속에서 안정되고,
강한 벌칙에서 신뢰가 쌓인다.

약속은 지킬 때 그 본분을 다하는 것이고 흐뭇한 것이다.
약속이 누구에게는 야속하고, 누구에게는 절실하다.
오늘도 약속을 잘 지키는 대한민국이 되길...

1월 어느 버스 안에서.....

현인(賢人)

술에 취한 고래는 오대양 육대주가 흔들거리고
곡차에 취한 그대는 곧게 펼쳐진 대로가 흔들거리오

세상이 둥그니 이리저리 돌고 돌아 인연은 다시 만나고
마음은 정도로 곧게 하고 있지만, 몸은 모진 바람에 흔들리오

차디찬 외설과 공기는 나를 움츠려 옷깃을 여미게 하고
따듯한 선비의 손길은 여유롭게 여장을 풀게 하오

그대의 마음은 가을날 실바람에 흔들리는 갈대와 같고
선비의 마음은 금강산 일만 이천 봉처럼 넓게 우직하오

그대의 마음은 풍파에 갈기갈기 찢긴 아픔으로 가득하고
자는 현인의 마음과 도량으로 헤아려 흔들림 없도다

그대의 향기

새벽의 향기는 누구의 향기인가
아침을 여는 오늘 새벽은 큰 희망이오

어둠을 가르는 손짓은 세월의 향기인가
행복을 여는 이 시간은 그대의 온유한 손길이오

수줍은 달님의 은은한 미소는 행복의 향기인가
온 세상이 온유해 밝히며 미소를 선물하는 희망이오

찾아드는 밝음에 하나둘 자취를 감추는 은하수 향기인가
밤하늘을 예쁘게 수놓던 은하수는 근심을 데리고 멀리 여행하오

행복한 희망에 자리를 내어주고 봇짐을 메는 현자의 향기인가
세상의 모든 희망을 골고루 나누어 행복을 성취하게 하오

그대의 숨결은 행복 가득 풍기는 향기이고
그대의 손짓은 희망 가득 내어주는 사랑이요

그대의 넓은 생각은 세상을 아름답게 하는 원기이고
그대의 높은 배려는 세상을 살기 좋게 하는 아름다움이라

바르게 살자

평온하며 화려하게
화려하며 겸손하게
겸손하며 소박하게
소박하여 화려하게

화려하며 듬직하게
듬직하며 포근하게
포근하며 진취하게
진취하며 온유하게

온유하며 강하게
강하며 부드럽게
부드러우며 넓고, 높게 그리고 크게
그렇게 세상을 아우르고 품으며 살아보리라

눈을 감으니 세상이 아름답다

술에 취한 세상인가? 방황하는 세상인가?
이리저리 흔들리고 중심을 잃은 듯하다

갈팡질팡 쓰러질 듯 걷는 모습은 위태롭다
진실한 발걸음은 반듯하게 걸어야 하거늘

흔들흔들 흐트러진 양 횡설수설 하는 것은 자유인가?
사회정의와 바름을 망각하고 걷는 흐트러짐인가?

한 발 한 발 살얼음판을 걷는 사람의 마음인가?
거짓과 허영을 진실처럼 포장하고 미소로 가리려 하는가?

진실을 가리려 하여도, 베일에 싸 가리려 하여도
선량한 눈에는 천사처럼 보이는 것을⋯⋯

감언이설과 미소로 가리려 한들, 가려지겠는가?
진실이 정의롭고 반드시 승리하는 것은 아니지만

진실은 세상에 나와 웃으며 바름을 알리며
정의는 우리들 약속처럼 미소를 보여주려 한다

진실은 백두산 천지처럼 맑은 물을 품는 사랑이며
정의는 한라산과 같이 우뚝 솟아 옳음을 지킨다

우린 반드시 정의가 승리하길 희망하고 믿는다

그릇된 정의에 가려 악의가 선의인 양 돋보일 때도 있으나 동요하지 않는다

슬프지만 슬퍼할 수 없고, 기쁘지만 미소 지을 수 없는…
우린 어쩌면 자신의 이상에 가려져 넓고 높게 보지 못하는 것은 아닌지?

출장길 버스에서 지그시 눈을 감고 앞을 본다
눈을 감고 앞을 보니 세상이 아름답다.

아름다운 진리

세상에는 여러 부류의 사람이 있다.
스스로 울타리를 만들어 안에 갇히고

그동안 보아 왔던 것들이 정도이고 옳은 것인 양
느끼는 자기도취에 빠진 사람들이 있다.

자기영역을 만든다는 것, 기준을 만든다는 것은
어찌 보면 좋은 일이겠으나 도취하면 판단이 흐려지고 아집일 수
있다.

배려하고 소통하는 마음은 이 시대를 살아가는
우리들의 기본 덕목인 것을....

타인의 이해만 구하고 나만의 이익을 좇는 소인배는 늘 제자리걸음을
하며 과거에 머무른다.

이 시대를 살아가려면 소통하고 배려하는 공통적인 사고(思考)가
필요하다.
그것이 모두의 얼굴에 보조개를 만드는 것을 모르는 이가 너무 많다.

아침 안개가 살짝 드리워져 있지만, 안개가 걷히면 밝은 태양이
활짝 웃는다는 것은 누구나 알고 있는 진리인 것을....

현자처럼 현인처럼

진실에 웃고
거짓에 운다

가오에 살고
허언에 죽는다

과거에 울고
현실에 웃는다

정의에 웃고
불의에 한숨 쉰다

용서에 웃고
시기를 달랜다

옳음에 긍정하고
그름은 부정한다

현자처럼
현인처럼

바름과 어짐으로
보며 생각하고 살자

평범한 사실

숯 검댕과 씨름하지만 늘 멋진 가오를 갖는다.
풍족하진 않지만, 기본을 외면하지 않는다.

잿더미 속 진실을 밝히는 험난한 여행가다.
진실의 길에서 거짓과 만나 바름을 훈교한다.

평범한 사실을 찾아 진실을 지키는 평민이다.
지위고하를 가리지 않고 현인처럼 평정심을 갖는다.

누구도 가본 적 없는 미지의 길을 가는 탐험가다.
험난한 길, 핀잔받는 길을 걸으며 진실을 찾는다.

화마에 놀란 이들의 아픔을 안정시키는 조언가다.
진실을 찾아 슬픔을 달래고 희망을 찾아 내민다.

자연이란.....

매화는 봄을 알리고
진달래는 봄을 맞으며

개나리는 봄을 즐긴다오.
댑싸리는 여름을 알리고

청포도는 여름을 즐기며
복숭아는 여름을 품어준다오.

고개 숙인 황금 메는 가을을 알리고
황금물결 넘치는 은행은 가을을 즐기며 춤춘다오

붉게 치장한 단풍은 가을이 익어감을 화려함으로 즐긴다오

시목(柿木)은 옷을 갈아입고 장군님을 맞으며
하늘 향해 두 팔 벌려 환영하는 버들가지는
아직 봄을 잊지 않을 테요

등대

세찬 비바람에도 흔들리지 않고 자리를 지킨다
이글거리는 태양 빛에도 밝음을 잃지 않는다

누구를 기다리는지, 한자리에 묵묵히 망부석처럼
초롱초롱 환한 눈망울로 망망대해를 밝게 바라본다

만선 하여 귀항하는 통통배가 길을 잃을세라
통통배가 포옹이라도 할까 시기하며 행복을 지킨다

대해를 지나는 나그네에게 윙크하며 짝사랑 미소를 보낸다.
멀리 대해를 여행하며 떠나는 임을 보며 또 오라고 밝게 웃어 준다

반짝이는 눈망울은 밝고 맑아 모든 이의 길잡이가 되어
바른길로 인도하며 변함없는 미소로 행복을 가득 선물한다

늘 제자리에서 흔들림 없이 굳은 의지로 우뚝 서서
수수하지만 찬란하고, 찬란하지만 검소한 곧은 심성으로 우뚝 서 있다

홀로 외로움도, 따가운 시선도 넓으므로 품으며
나그네는 잠시 머물러 굳은 의지를 보며 낭만을 즐긴다

떠나는 별이되어...

희망하지도 선택하지도 않았는데 누가 왜?
하늘의 문을 열어 별이 되었나

하늘보다 먼저 손 내밀며 잡아주길 간절히 간절히 기다렸건만
잡는 이 없네

잡아, 달라고 절규하는 아우성은 들리지 않고, 축제 소리만
가득하였네
누가 열었느냐? 하늘의 문을, 왜 열었느냐? 하늘의 문을...

두 볼을 적시는 뜨거운 눈물은 흘러 흘러 가슴 깊이 파고들어
시리고 시리다고
진심으로 달래고 달래도 흘러내리는 눈물은 한이 많아 그칠 수
없어라

누구도 손을 내밀지 못해, 누구도 손을 잡아주지 못해 가슴 절절히
후비는 아픔이 스며드네...

손을 내밀며 잡아달라 목 놓아 외쳤건만 누구도 듣지 못하고
멀리멀리 떠나는 모습만 바라보네...

다시는 다시는 멀리멀리 가지 못하도록 너를 머물게 할 것이라고
다짐하건만...
꽃을 잃은 이의 시린 가슴은 달랠 길 없네...

시간 속

진달래가 빙긋 웃으며 찾아오시네
개나리가 함박웃음으로 환하게 반기네

봄비를 맞으며 파릇파릇 수목들은 숨 쉬고
태양의 강함을 선물 받아 초록이 익어가네

살랑살랑 부는 바람에 보이지 않는 행복을 즐기며
색동저고리에 덩실덩실 더덩실 흥에 겨워 움직이네

걸음을 재촉하여 지평선을 보니 높새바람이 찾아와
옷깃을 여미라 속삭이네

우리네 인생은 춘하추동처럼 순응하고 이치를 알며
타고난 사주로 저마다 행복과 슬픔을 아우르고

복에 겨워 행복을 느끼지도 잡을지도 모른다네
그것이 우리네 좁은 인생이 아닐는지…?

보디가드가 필요한 이유

내가 유명하거나 팬들 등살에 밀려 어려울 때 나를 보호하기
위함이다
나를 경호하는 사람이 있다면 난 유명인이다

그 유명인을 왜? 피나는 고생 끝에 번 돈으로 고용해 줘야 하는지?
조금 덜 벌고, 조금 덜 미운 짓을 할걸…

타인에게 섭섭하게 하고 두려워 보디가드를 댈꼬 다니나?
한곳에 정착하여 정도를 걷는다면 어떨까?

지금 보다 더 많은 사람이 편하게 지낼 수 있을 것인데…
아집을 내세워 철부지처럼 응석 부린다

두목은 근엄하나 정도가 없고,
보스는 위풍 있으나 배려 없이, 지 자리만 지키려 하며,

리더는 힘들고 어려워도 모두를 아우러 함께하는 것을…
벗과 만나 좋은 이야기를 마음에 덕담으로 가득 담아주고,
세상사 안주 삼아 속으로 속으로 삭혀본다

주(酒)는 나와 일체가 되어 깊은 속내를 한숨으로 내어놓는다
이렇게 세상은 요지경이라고…
그래서 보디가드가 필요한가 보다

지하철 이용 중

임산부석에 중년의 신사 앉았다.
소녀가 다가가 아빠! 임산부석이에요?
웅,

아니야 여긴 임산부 자리야 일어나요.
ㅎㅎㅎ

아이들에게 배울 점이 참 많다.
옳게 살라고 가르치고 그릇된 행동을 보여준다.

아이러니한 세상
아니 자기 편의주의겠다.

대한민국은, 우리의 선조는 동방예의지국이란 칭송을 들었는데
선조는 진심 예의 바른 분들이었는데…

힘들고 험난한 세상에 자기 기준에 맞춰 사는 겐가?
그래도 ,,,,,, 더불어 사는 세상인 것을…

2022. 10. 30. 7호선 지하철에서…

그대들은…

그대는 실바람에 한들한들 어깨춤을 추며,
세월의 흐름을 즐기는구려

강한 바위틈에 뿌리를 내리고 태어나 춤을 추며,
행복을 나누며 꿋꿋함을 뽐내는구려

순리에 편승하여 붉은 옷을 입고 춤을 추며,
강인함과 뜨거운 열정을 풍기는구려

강인함도 세월 앞에 순응하는 춤을 추며,
살이 깎이고 에이는 아픔으로 거듭나는구려

비바람에 한자리에서 덩실덩실 춤을 추며,
늘 푸르고 청렴함으로 미소 짓는구려

같지만 다르고, 다르지만 같은 춤을 추며,
행복과 사랑으로 감싸 안으며 지키는구려

시간의 흐름이 못내 아쉬워 흐느끼며,
갈 옷으로 갈아입고 아름다움을 노래하고,

푸른 옷 단벌 신사는 우직한 어깨춤을 추는구려

망초는 한들한들 강한 아름다움을 뽐내고,
단풍은 시간에 흐름에 단아함으로 화답하며,

노송은 강직함으로 변함없이 푸르름을 자랑하며,

단단한 바위틈에서 생명이 솟으며 숨 쉬는
대자연의 진리는 아름다움 그 자체이니
거짓도 꾸밈도 없구려…

웃음의 씨앗!

설마?
사실!
얼마나 차이가 있을까요?
미래에 닥칠 액운이 나에게..... 설마?
불안한 마음을 진정시키려 하고,

행복과 행운이 내게 온다면 그것은 현실이고 사실이다.
한 치 앞도 모르며 미래를 설계한다?
방금 지나온 사실을 규명하지 못하면서 논리를 편다?

분명한 것은 행복을 설계하고 목표를 설정하여 성취하려는 노력이 있다면 분명한 사실과 현실로 다가온다.

요행을 바라며 한 투자는 낭패를 보며
계획과 설계로 투자한 시간은 분명 결실을 내어준다.

설마 와 사실은 불안을 예측하는 것과 현재 보이는 것에 불과하다.
오늘도 태양이 웃으며 날 지켜준다.

오늘이란 웃음의 씨앗이 있기에 열심히 긍정하며 뛰어본다.
오늘은 내일을 위한 씨앗이다.

내일은 나에게 희망과 행복을 선물 할 것이다.
우리 모두 더불어 행복하고 함께하는 세상 대한민국!
오늘도 안전의 초석을 놓는다.

그대와 나

해맑은 웃음으로 찾아들 풍요로움은 그대와 나의 커다란 희망입니다
희망은 우리를 살아 숨 쉬게 하고, 활기차게 움직이는 원동력입니다

넓은 도량으로 찾아들 넉넉함은 그대와 나의 큰 행복입니다
행복은 곁에서 우리를 늘 즐겁게 하고, 함박웃음을 선물합니다

조언과 칭찬으로 찾아들 포근함은 그대와 나의 감사 마음입니다
감사는 우리를 가깝게 하고, 존중하며 충언하는 조언자입니다

수많은 사람 중에 소통하며 배려하는 그대와 나는 소중한 인연입니다
인연은 생을 다하는 날까지 함께하고 머물며 안을 수 있는
재산입니다

희로애락을 겪으며 스치는 사연들은 그대와 나의 넉넉한 인생입니다
인생은 세찬 비바람도 헤쳐 나갈 수 있는 총명함을 쌓으며
걷는 것입니다

해맑고, 넓은 도량, 조언과 칭찬, 소통과 배려, 넉넉한 인생은
그대와 내가 함께 가꾸는 아름다운 꽃길입니다

현인으로서 나

한들한들 불어오는 바람도
따스하게 비춰주는 햇살도
느긋하게 정오의 여유를 즐기나 보다

유유자적 흘러가는 저 구름도
날개를 활짝 펴고 창공을 나는 기러기도
목표를 향해 쉼 없이 전진하나 보다

저 높은 하늘 바람을 가르며 나는 비행기도
맑은 강 물살을 가르며 여행하는 여객선도
희망을 가득 실어 행복을 향해 전진하나 보다

아침을 깨워 태양을 맞는 새벽도
밤하늘을 멋들어지게 수놓던 은하수도
우주 만물 순리에 순응하며 걸음을 재촉하나 보다

힘든 시련과 가슴을 후비는 아픔도
세차게 몰아치는 시기와 비난도
긍정 앞에선 환하게 다가오는 미소인가 보다

성공할 수 있는 계획을 설계하고,
멈추지 않는 열정으로 노력하며,
부정하지 않는 긍정으로 생각하고,
모두가 인정하는 초심으로 행동하며,
신념과 의지로 자존감을 지키는 내가 되고 싶다

두서없이 글을 시작하여 습관처럼 하나둘 작성하다 보니 한 권의 책이 만들어지네요. 그때그때 생각나는 문구를 메모했다고 정리해 보았습니다.
글은 마음에 표현이라고도 합니다.
넉넉한 글은 아니지만 순수하게 낙서하고...
화재조사관으로서 탐구하고, 연구하며 현장에서 진실을 규명하고자 최선을 다하며 화재 현장을 보며 달리 생각해 보고자 정리해 보았습니다. 아는 만큼 보이듯이 늘 학습하고 연구하는 자세로 근무하며 겸손한 마음으로 재난 현장에 출동합니다.
화재 원인을 찾고자 하는 노력과 화재로 인한 억울한 사람이 없도록 하는 것이 저의 사명이라 생각하고 현장에선 냉철한 판단과 정확성을 잃지 않는 혜안을 갖고자 노력하고 있습니다.
화재조사관으로서 저의 자그마한 철학이 있다면.....
"멈추지 않는 한 실패는 없다. 아는 만큼 보인다."입니다.

주요 경력

- 前)보험연수원 화재감식 강의
- 전국 9개 소방학교, 1개 교육대 강의
- 前)법무연수원 특별사법경찰관 양성반 강의
- 한국산업인력공단 직무분석위원
- 前)한국교통안전공단 철도기술 외부전문위원
- 대법원 법원행정처 전문심리위원(화재분야)
- 소방방재신문 119플러스 편집위원
- 2020년 NCS 화재조사분야 집필위원
- NCS기반 국가기술자격 분과위원
- 화재 현장 감식 시스템(VR) 개발 자문위원
- 국토교통과학기술연구개발 자문위원 등

학력

- 경기 서부초등학교
- 서울 동신중학교
- 서울 한양공업고등학교 전자과
- 숭실사이버대학교 법학과
- 가천대학교 산업환경대학원 설비 · 소방공학과 공학석사
- 가천대학교 일반대학원 설비 · 소방공학과 소방방재공학 공학박사

논문

- 열 축적에 의한 자연발화
- 에어컨 설치조건에 따른 화재메커니즘에 관한 연구
- 이차전지(MF배터리)의 화재 위험성에 관한 연구
- 김치냉장고 화재분석 및 발화원인에 관한 연구
- 효율적인 화재원인 규명을 위한 관계자 책임에 관한 연구
- 화재원인 규명에 따른 조사자 책임에 관한 연구
- 하이라이트와 인덕션 가열방식에 따른 화재 위험성 연구
- 화재 원인과 관계자 책임에 관한 사례 연구
- 효율적인 화재조사를 위한 제도적 개선방안에 관한 연구
- 실증 실험을 통한 소형 에너지저장장치 화재위험성에 관한 연구

저서

- 화재조사 첫걸음
- 나는 화재조사관이다.
- 화재조사관의 낙서장
- 화재 현장 조사 이야기 1
- 화재 현장 조사 이야기 2
- 화재감식평가기사(공저)

화재조사관의 낙서장(Ⅱ)

발 행 | 2024년 01월 10일
저 자 | 이종인, 필명
펴낸이 | 한건희
펴낸곳 | 주식회사 부크크
출판사등록 | 2014.07.15.(제2014-16호)
주 소 | 서울특별시 금천구 가산디지털1로 119 SK트윈타워 A동 305호
전 화 | 1670-8316
이메일 | info@bookk.co.kr

ISBN | 979-11-410-6599-7

www.bookk.co.kr